1a

voulez-vous apprendre le français ?

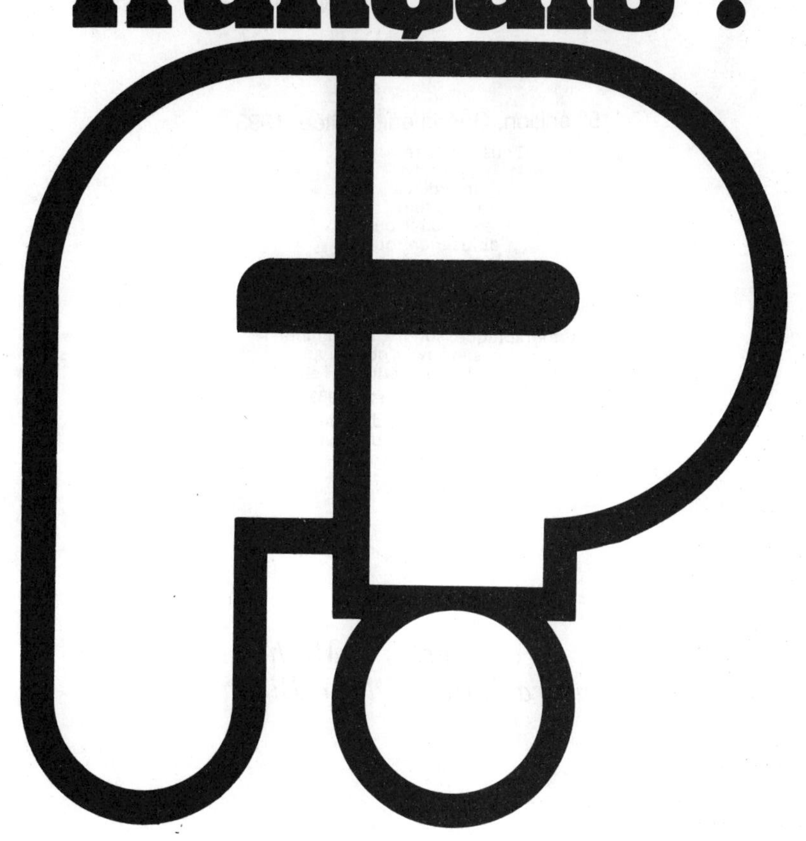

5e édition, Guérin éditeur ltée, 1993.

Dépôt légal, 2e trimestre 1982.
Bibliothèque nationale du Québec.
Bibliothèque nationale du Canada.
ISBN-2-7601-0856-2
IMPRIMÉ AU CANADA.

Maquette de couverture: Michel Poirier
Illustrations: Hélène Blain

Dyna Ryba
Rita Guindi

1a

voulez-vous apprendre le français?

guérin éditeur limitée
4501 Drolet • Montréal, P.Q. H2T 2G2 Canada
(514) 842-3481

À Joyce Azouri, nos remerciements pour son aide apportée avec tant de gentillesse.

TABLE DES MATIÈRES

LE NOM

A. LES NOMS DE PERSONNES

1. Les noms propres

Je m'appelle Irène: mon nom est Irène.

Mon frère s'appelle Charles: son nom est Charles.

Ma mère s'appelle Hélène: son nom est Hélène.

Mon père s'appelle Marc: son nom est Marc.

Chaque personne a un nom

Les noms de garçons diffèrent des noms de filles.

Le nom indique s'il s'agit d'un garçon ou d'une fille.

Nous disons que * les noms de garçons (ou d'hommes) sont masculins,

* les noms de filles (ou de femmes) sont féminins.

Voici quelques exemples de noms:

Masculin	Féminin
Jean	Jeanne
Charles	Charlotte
Henri	Henriette
Jacques	Jacqueline

Observations

Les noms ci-dessus sont appelés noms propres.

Ils se rapportent à des personnes particulières.

Les noms propres prennent une majuscule.

La première lettre de ces noms est toujours une majuscule.

Les noms propres de personnes et l'article

Ni le prénom d'un individu (exemple: Gilles), ni son nom de famille (exemple: Vigneault) ne sont précédés d'un **article.**

Par contre, le nom se rapportant à une personne, en sa qualité de citoyen (ou citoyenne) d'un pays, est précédé d'un article.

Exemples:	le Canadien	la Canadienne
	le Français	la Française
	l'Anglais	l'Anglaise

2. Les noms communs

Mme Irène est une femme très instruite.

M. Jean est un homme très honnête.

Juliette est une très bonne actrice.

Paul est mon frère.

Mon père est docteur.

J'achète des fruits chez l'épicier.

Observations

Les noms communs se rapportent à toutes les personnes de la même espèce.

Irène est un nom propre; (la) femme est un nom commun.

Jean est un nom propre; (l') homme est un nom commun.

Juliette est un nom propre; (l') actrice est un nom commun.

Paul est un nom propre; (le) frère est un nom commun.

(L')épicier, (le) docteur, (le) père, etc. sont des noms communs.

Avant le nom commun de personne, on met le, la, ou l'.

« Le » indique que le nom est au masculin.

« La » indique que le nom est au féminin.

« L' » est employé devant un nom masculin ou féminin qui commence par une voyelle ou un h muet.

B. LES NOMS DE CHOSES

1. Les noms communs

Le cahier est sur la table.

Le crayon sert à écrire.

Je range les livres sur l'étagère.

Le sapin est l'arbre préféré de mon père.

La vie à la campagne est calme.

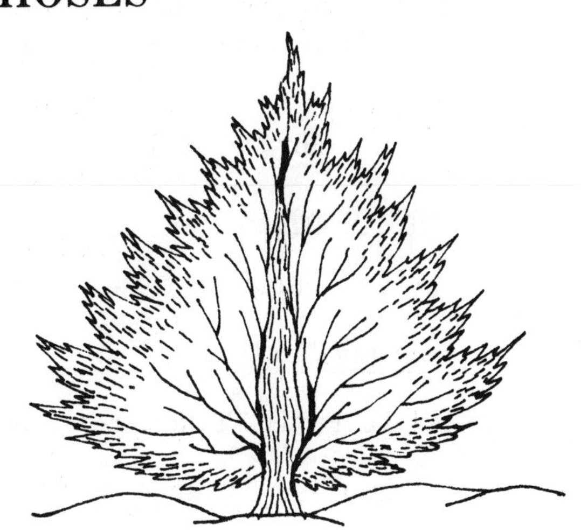

Observations

Le cahier, la table, le crayon, le livre, l'étagère, le sapin...sont des noms communs de choses.

Comme les noms communs de personnes, les noms communs de choses sont précédés de « le », « la » ou « l' ».

2. Les noms propres

Comme les noms de personnes, les noms de choses se divisent en noms propres et en noms communs.

Exemples

1. On désigne l'Europe sous le nom de « Vieux Continent ».

2. On désigne l'Amérique sous le nom de « Nouveau Continent ».

3. La France est mon pays d'origine.

4. Le Canada est mon pays d'accueil.

5. J'ai déménagé rue Van Horne.

6. « Le Petit Prince » est mon livre préféré.

7. Ivory est mon savon préféré.

8. Ma mère utilise Tide comme détergent.

(L') Europe, (l') Amérique sont des noms propres; le continent est un nom commun.

(Le) Canada, (la) France sont des noms propres; le pays est un nom commun.

« Le Petit Prince » est un nom propre; (le) livre est un nom commun.

Ivory est un nom propre; (le) savon est un nom commun.

Tide est un nom propre; (le) détergent est un nom commun.

Observations

1. Les noms de continents et de pays sont précédés d'un article.
2. Les noms de villes (sauf rares exceptions) ne sont pas précédés d'un article.
3. Les autres noms propres de choses figurent sans article.

C. LES NOMS D'ANIMAUX

1. Les noms communs

Le chien aboie.

Le cheval est à l'écurie.

Le chat miaule sans arrêt.

La vache nous donne du lait.

L'ânesse est la femelle de l'âne.

Je donne des noisettes à l'écureuil.

Comme les noms de personnes et de choses, les noms d'animaux sont au masculin ou au féminin. Comme les autres noms, ils sont précédés de « le » « la » ou « l'».

2. Les noms propres

Comme les autres noms, les noms d'animaux se divisent en noms propres et en noms communs.

Exemples

1. Mon petit chien Fido est très affectueux.
2. Mon frère a nommé son cheval « Crin-Blanc ».
3. Mon petit chat Minet aime monter sur mon épaule.
4. Mon petit âne Coco est né il y a deux semaines à peine.

Fido est un nom propre; le chien est un nom commun.

Crin-Blanc est un nom propre; le cheval est un nom commun.

Minet est un nom propre; le chat est un nom commun.

Coco est un nom propre; l'âne est un nom commun.

Observation

Les noms propres d'animaux ne sont pas précédés d'un article.

EXERCICES D'APPLICATION

A. Dans les phrases suivantes, relevez les noms de personnes, de choses et d'animaux et écrivez-les dans les colonnes correspondantes.

1. André joue à la balle.
2. Le chien est dans la niche.
3. La mère prépare le repas.
4. Le médecin travaille à l'hôpital.
5. L'aspirine est un médicament.
6. Le tailleur fait des habits.
7. Le cordonnier fait des chaussures.
8. Les autos roulent sur la chaussée.
9. Le facteur distribue les lettres.
10. Paul a un canari et une tortue.
11. Les guêpes piquent.
12. Le boucher vend de la viande.
13. L'épicier vend des aliments.
14. Le boulanger vend du pain.

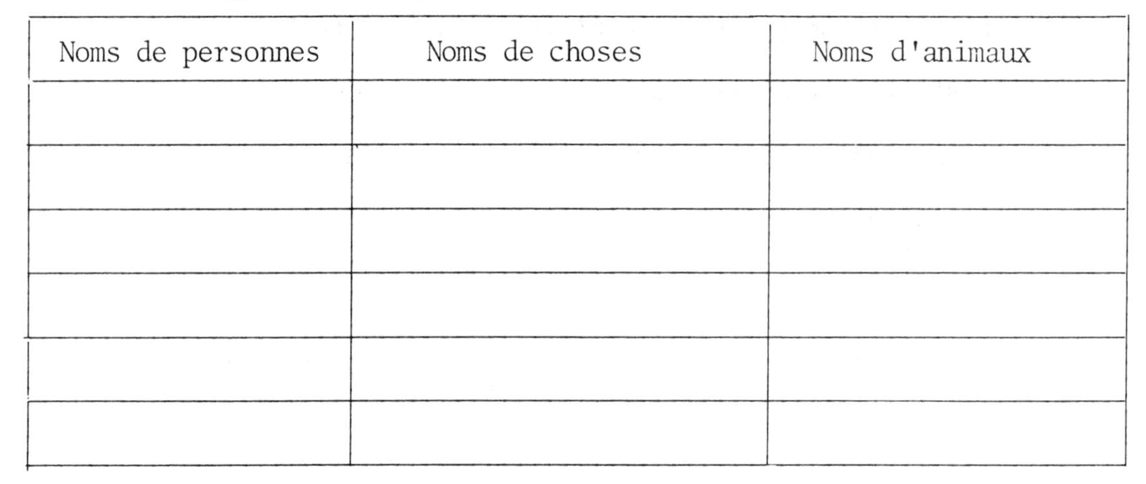

Noms de personnes	Noms de choses	Noms d'animaux

Noms de personnes	Noms de choses	Noms d'animaux

B. Dans les phrases suivantes, relevez les noms propres et les noms communs et écrivez-les dans les colonnes correspondantes.

1. Mon chien s'appelle Fido.
2. Ottawa est la capitale du Canada.
3. Gilles Vigneault est poète et chanteur.
4. J'achète des fruits à l'épicerie.
5. Chez mon boulanger, on trouve du bon pain.
6. Ma mère se dispute souvent avec la voisine.
7. Mon oncle Jean est ingénieur.
8. Tous les élèves ont peur des guêpes.
9. De tous les légumes, je préfère les pommes de terre.
10. Jacqueline et Henri jouent toujours ensemble.
11. Mes parents lisent deux journaux, « La Presse » et « Le Devoir ».
12. La rentrée scolaire a lieu en septembre.

Noms propres	Noms communs

Noms propres	Noms communs

EXERCICE DE COMPLÉTION*

Métiers et professions

Complétez les phrases. Choisissez parmi les noms encadrés.

Le boucher, l'épicier, le médecin, la couturière, l'infirmière, la secrétaire, le concierge, l'avocat, l'architecte, le boulanger, le menuisier, le facteur, l'enseignant, la caissière, le pâtissier.

1. Ce ________________ vend de la bonne viande.
2. L' ________________ s'occupe des malades.
3. Chez cet ________________, on achète de très bons fruits.
4. La ________________ tape les lettres à la machine.
5. Quand on est malade, on va chez le ________________.
6. La ________________ fait des robes.
7. L'________________ défend les gens devant le juge.
8. Le ________________ fait du bon pain.
9. Le ________________ vend des gâteaux.
10. L' ________________ enseigne.
11. Le ________________ surveille bien notre immeuble.
12. L' ________________ dessine les plans pour la construction de bâtiments.
13. Quand je fais des achats, je remets l'argent à la ________________.
14. Le ________________ fait des meubles.
15. Le ________________ distribue les lettres.

* Terme emprunté à Robert Galisson.

LES ARTICLES

A. ARTICLES DÉFINIS

Singulier	Pluriel
le garçon	les garçons
la fille	les filles
l'élève (garçon)	les élèves
l'élève (fille)	les élèves

Le, la, l' sont appelés articles définis.

Remarque 1

- On met «le » devant le nom masculin singulier.
- On met «la » devant le nom féminin singulier.
- On met «le » devant le nom singulier commençant par une voyelle.
- On met « les » devant tous les noms au pluriel.

Remarque 2

- Lorsque le nom est au pluriel, l'article est au pluriel.

Remarque 3

- Au singulier, l'article défini a trois formes: « le », « la » et « l' ».
- Au pluriel, il y a une seule forme: « les ».

Remarque 4

- La plupart des noms prennent la terminaison « s » au pluriel.

B. ARTICLES INDÉFINIS

Singulier (masculin)	Singulier (féminin)
le garçon	la fille
un garçon	une fille
l'élève (garçon)	l'élève (fille)
un élève (garçon)	une élève (fille)

Pluriel (masculin)	Pluriel (féminin)
les garçons	les filles
des garçons	des filles
les élèves (garçons)	les élèves (filles)
des élèves (garçons)	des élèves (filles)

Remarques

1. À la place de « le », on met « un ».
2. À la place de « la », on met « une ».
3. À la place de « l' », on met « un » si le nom est au masculin et on met « une » si le nom est au féminin.
4. On met « des » à la place de « les » devant tous les noms au pluriel.

« Un », « une », « des » sont appelés articles indéfinis.

Singulier	Pluriel
un garçon	des garçons
une fille	des filles
un élève	des élèves (garçons)
une élève	des élèves (filles)

Remarques

- **Au singulier**, l'article indéfini a deux formes: « un » pour le masculin; **« une » pour** le féminin.

- **Au pluriel**, il y a une seule forme: « des ».

EXERCICES D'APPLICATION

A. Remplacez l'article défini par l'article indéfini correspondant.

1. Le petit pois ________ petit pois
2. Le radis ________ radis
3. Les pommes de terre ________ pommes de terre
4. Le crayon ________ crayon
5. Le pamplemousse ________ pamplemousse
6. Les framboises ________ framboises
7. La règle ________ règle
8. Le banc ________ banc
9. L'ananas ________ ananas
10. Les oranges ________ oranges

B. Remplacez l'article indéfini par l'article défini correspondant.

1. Une veste ________ veste
2. Un poignet ________ poignet
3. Un ongle ________ ongle
4. Des jaquettes ________ jaquettes
5. Une pomme ________ pomme
6. Un arbre ________ arbre
7. Une oreille ________ oreille
8. Des chiens ________ chiens
9. Un oiseau ________ oiseau
10. Une fille ________ fille
11. Des élèves ________ élèves
12. Des amis ________ amis

LE GENRE

En français, il y a très peu de règles qui permettent de distinguer le masculin du féminin. C'est surtout l'article qui nous indique le genre de la chose. Lorsque vous apprenez un mot, tâchez de retenir en même temps l'article qui le précède.

Les observations suivantes peuvent vous aider à reconnaître le genre du nom.

LE CORPS

A. La tête

Masculin	Féminin
le cheveu	la bouche
le front	la lèvre
le nez	la gencive
le menton	la dent
le cou	la langue
l'oeil	la gorge
	la joue
	l'oreille

Remarques

1. Le long d'une ligne verticale qui va des cheveux jusqu'au cou, tout est du masculin, à l'exception de la bouche.
2. La bouche est féminin. Ce qui se trouve dans la bouche et ce qui entoure la bouche est du féminin (à l'exception du palais).

B. Le tronc du corps

Masculin	Féminin
le dos	l'épaule
le ventre	la poitrine
	la taille
	la hanche

Remarque

À l'exception du dos et du ventre, tout est féminin.

C. Les membres du corps

a) Les membres supérieurs

Masculin	Féminin
le bras	la main
le coude	
l'avant-bras	
le poignet	
le doigt	
l'ongle	

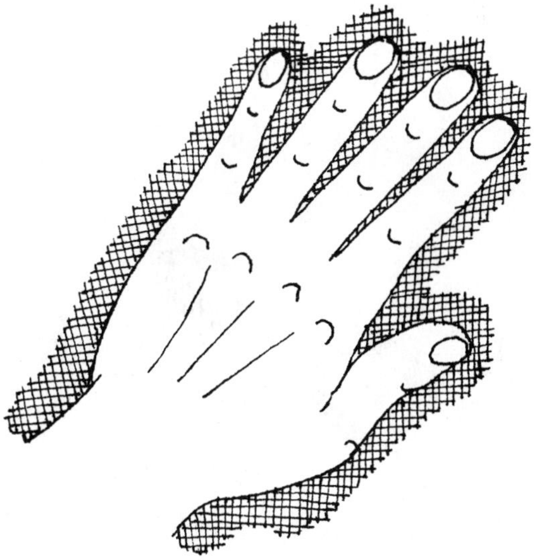

Remarque

Seule la main est du féminin.

b) Les membres inférieurs

Masculin	Féminin
le genou	la cuisse
le pied	la jambe
l'orteil	la cheville

Les vêtements

Masculin	Féminin
le pantalon	la robe
le veston	la tunique
le manteau	la veste
l'imperméable	la jaquette
le chapeau	la cravate
le cache-col	la blouse
le corsage	la chemise
le chandail	la jupe
le soulier	la chaussure
le bas	la chaussette

Les objets scolaires

Masculin	Féminin
le pupitre	la craie
le casier	la gomme
le banc	la règle
le tableau	la brosse
le cartable	la colle
le livre	la trousse
le cahier	
le crayon	
le stylo	

Les objets scolaires masculins sont plus nombreux que les objets scolaires féminins.

La chambre

Masculin	Féminin
le plafond	la porte
le mur	la fenêtre
le plancher	

Remarque

Tout est masculin à l'exception de la porte et de la fenêtre (par où on communique avec l'extérieur).

L'ameublement

Masculin	Féminin
le canapé (le sofa)	la table
le fauteuil	la chaise
le buffet	la commode

Masculin	Féminin
le lit	la lampe
le tapis	l'étagère
le rideau	
le bureau	

La literie

Masculin	Féminin
le drap	la couverture
le matelas	la taie
l'oreiller	

On met la table

Masculin	Féminin
le couteau	la nappe
le verre	la serviette de table
le bol	la soupière
le saladier	la carafe
	l'assiette
	la fourchette
	la cuillère
	la tasse
	la soucoupe

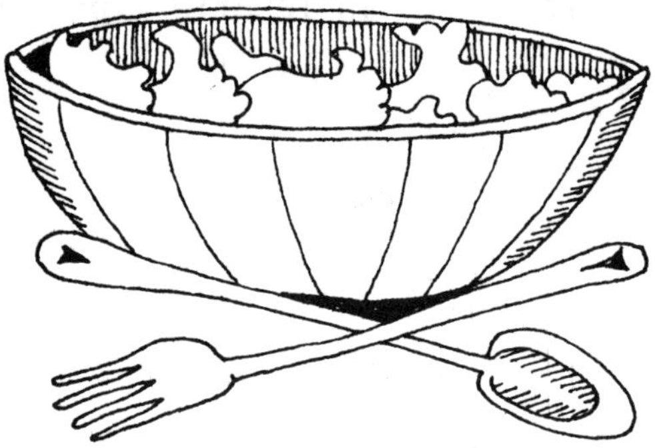

Remarque

Ici, le féminin prédomine.

LES PRODUITS ALIMENTAIRES

A. Les produits laitiers

Masculin	Féminin
le lait	la crème
le beurre	
le fromage	
le yogourt	

Remarquez que seule la crème est au féminin.

B. Les boissons

Masculin	Féminin
le café	l'eau
le thé	la bière
le vin	
le cacao	
le jus	

Remarquez que seules l'eau et la bière sont au féminin.

C. Les fruits

Masculin	Féminin
le pamplemousse	l'orange
l'ananas	la mandarine
le citron	la pêche
le bleuet	la poire
l'abricot	la cerise
le melon	la fraise

Masculin	Féminin
le raisin	la framboise
	la prune
	la grenade
	la banane
	la tomate
	la pomme

Remarque

La plupart des noms de fruits sont féminins.

D. Les légumes

Masculin	Féminin
le chou	la pomme de terre
le chou-fleur	la carotte
le navet	la laitue
le poireau	la fève
le radis	la courgette
le pois	l'aubergine
le haricot vert	
le poivron	
le piment	
le concombre	
le cornichon	
l'artichaut	

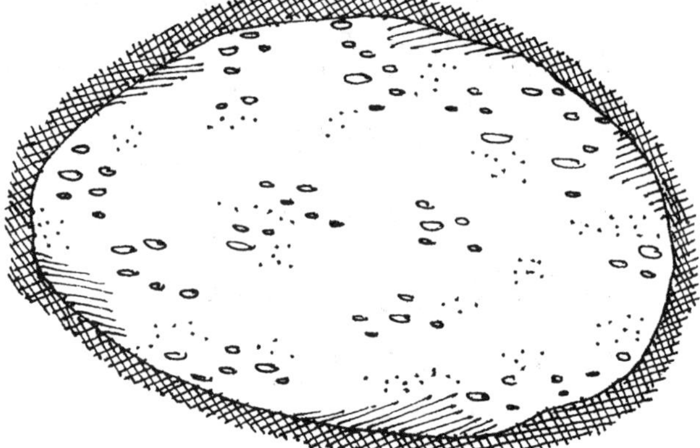

Remarque

La plupart des noms de légumes sont masculins.

EXERCICES D'APPLICATION

A. Complétez les phrases. Faites le choix entre « le » ou « la ».

1. J'ai mal à ________ gorge. 
2. Hélène a ________ bras cassé.
3. ________ pied droit me fait mal.
4. Hélène a ________ joue gauche enflée.
5. Elle a ________ nez rouge.
6. J'ai mal à ________ cheville.
7. Quand je veux demander quelque chose au professeur, je lève ________ main.
8. Ne parle pas ________ bouche pleine !
9. Hélène a ________ taille très mince.

B. Complétez les phrases. Faites le choix entre « le » ou « la ».

1. ________ cravate de papa est très jolie.
2. Attends-moi, je mets _____ manteau et ______ cache-col et je viens.
3. ________ robe de ma soeur est très jolie.
4. ______ pantalon de Paul est trop large.
5. J'aime ______ chandail que tu portes.
6. Hélène, accroche ______ imperméable, s'il te plaît !
7. Oh ! J'ai déchiré ______ tunique d'Élise.
8. ______ blouse et ______ jupe que tu portes sont très jolies.
9. Enlève ______ chapeau et mets-le là !
10. Jacques, lave ______ chemise, elle est trop sale !

C. Complétez les phrases. Faites le choix entre « le » ou « la ».

1. Où as-tu mis craie ?
2. Efface les fautes avec _______ gomme.
3. Mets _______ livre dans _______ cartable !
4. Laisse _______ crayon et écris avec _______ stylo !
5. N'efface pas _______ tableau avec la main, mais avec _______ brosse !
6. Prête-moi _______ colle s'il te plaît !
7. Colle cette image dans _______ cahier !
8. _______ papier que tu me remets est très sale.
9. Fais les lignes avec _______ règle, s'il te plaît !
10. Taille _______ crayon, s'il te plaît !

D. Complétez les phrases. Faites le choix entre « le » ou « la ».

1. _______ plafond de cette chambre est bien bas.
2. Ouvre _______ fenêtre, il fait très chaud !
3. Quelqu'un frappe à _______ porte.
4. Peins _______ mur en jaune !
5. Je dois nettoyer _______ plancher, il est sale.
6. _______ plafond de cette maison est très beau.
7. À _______ fenêtre de ma chambre, j'ai des rideaux à fleurs.
8. Monsieur, regardez si _______ mur de cette chambre est à repeindre!
9. Ferme _______ porte à clé, s'il te plaît!
10. Tu as mis trop de cire sur _______ plancher: il est très glissant.

E. Complétez les phrases. Faites le choix entre « le », « la » ou « l'».

1. Mets ces livres sur ________ étagère.

2. Allume ________ lampe !

3. Où avez-vous acheté ________ rideau de la salle de bains ?

4. __________tapis bleu me plaît beaucoup.

5. Range le linge dans ________ commode !

6. Reposez-vous sur ________ lit !

7. J'aime beaucoup ______ canapé et ______ fauteuil que vous venez d'acheter.

8. Hélène, mets ________ table, s'il te plaît !

9. Attention ! Le pied de ______chaise est cassé.

10. Mets ces papiers sur ______ bureau !

F. Complétez les phrases. Faites le choix entre « le » ou « la ».

1. Jacques, remplis ______ carafe d'eau, s'il te plaît !

2. _______ nappe est très sale.

3. Attention, ________ soupière est très chaude !

4. Paul, plie ________ serviette de table !

5. Donne-moi ______ fourchette, ______ couteau et ______ cuillère !

6. Attention, _______ verre est trop plein !

7. Mets la salade dans _____ saladier !

8. Donne _______ bol à ton frère.

9. Mets _______ tasse sur _______ soucoupe !

G. Complétez les phrases. Faites le choix entre « le », « la » ou « l' ».

1. _______ lait est dans le réfrigérateur.
2. _______ beurre fond à la chaleur.
3. Je n'aime pas _____ crème, mais j'aime bien _____ fromage et _____ yogourt.
4. J'aime _____ vin rouge.
5. Buvez-vous souvent de _____ bière ?
6. _____ eau de cette rivière est polluée.
7. Mon jeune frère aime _______ jus de pomme.
8. Je n'aime pas _______ café.
9. Est-ce que tu aimes _____ crème ?
10. Ma mère adore _____ fromage.

H. Complétez les phrases. Faites le choix entre « le », « la » ou « l' ».

1. Coupe _____ laitue et _____ concombre avec ce couteau.
2. Est-ce que _____ poire que tu manges est assez mûre ?
3. Coupe _____ tomate et mets-la dans la salade.
4. _____ pamplemousse est souvent amer.
5. J'aime _____ pomme de terre en salade.
6. _____ ananas est un fruit tropical.
7. _____ orange que tu prends est pourrie.
8. _____ pêche est le fruit préféré de mon père.
9. _____ citron est acide.
10. _____ pomme est riche en vitamines.

I. Complétez les phrases. Faites le choix entre « un », « une » ou « des ».

1. « Maman, j'ai trouvé _______ cheveu dans ma soupe ! »
2. J'ai mal à ______ dent.
3. Lorsqu'il pleut, je mets ______ imperméable.
4. J'ai acheté ______ pantalon, _____chemise et ______ cravate.
5. Il s'est cassé _______ doigt.
6. J'ai trouvé __________ seul soulier.
7. Maman, donne-moi ________ oeuf, s'il te plaît !
8. Va chercher ______ cuiller et ________ couteau !
9. Avez-vous ________ tasses ?
10. Est-ce que tu as mis _____ pommes de terre et ______ carottes dans la soupe ?

J. Complétez les phrases. Faites le choix entre « le », « la », «l'» ou «les».

1. Quand tu mets la table, n'oublie pas de mettre ______ fourchettes !
2. Hélène a mal à _____ oreille.
3. Mets ______ oeufs dans _______ assiette !
4. À quelle heure viens-tu à _______ école ?
5. Le dimanche, _______ écoles sont fermées.
6. Verse ______ lait dans le verre !
7. _____ crème est sur _____ table.
8. _____ carottes sont cuites.
9. Mets ________ tasse sur _______ soucoupe !
10. Aimes-tu _______ choux-fleurs ?

EXERCICES DE COMPLÉTION

A. Complétez les phrases. Choisissez parmi les noms encadrés. N'oubliez pas d'accorder le mot choisi avec les autres éléments de la phrase.

Le dos, la fourchette, le bureau, l'imperméable, la commode, le fauteuil, le rideau, la jaquette, la serviette de table, la soupière, l'étagère, le menton, le couteau.

1. Je préfère m'asseoir dans un ______ plutôt que sur une chaise.
2. En été, je ne porte pas de manteau; je mets une _____ quand il fait frais et je mets un _______ quand il pleut.
3. Quand je vois _______________ sur la table, je sais qu'il y a de la soupe à manger.
4. J'ai un beau ____________ à ma fenêtre.
5. Quand je dresse la table, je mets la nappe et tout de suite après je mets les _________________________.
6. Dans les tiroirs de mon _________________, je mets mes cahiers et dans les tiroirs de ma __________________, je range mes chemises, mes bas et mes blouses.
7. Sur ______________________, je range mes livres.
8. Attention, tu confonds ______________________ avec le manteau !
9. En été, j'ai ________________ bien bronzé.
10. Je coupe la viande avec un ________________________ et je la mange avec une _____________________________.

B. Complétez les phrases. Choisissez parmi les noms encadrés. N'oubliez pas d'accorder le mot choisi avec les autres éléments de la phrase.

La taille, la lèvre, le ventre, le poignet, l'imperméable, la cheville, le chandail, le doigt, la règle, le pupitre, la crème, la pomme de terre, la carotte, la fourchette, le couteau, la soucoupe, le navet, les petits pois.

1. Ma mère fait la soupe avec des ______________, des ______________, des ______________ et des ____________________.
2. Je mets toujours ma tasse sur une ________________.
3. Pour avoir assez chaud en hiver, je mets un ______________.
4. Je me sers de ____________________ pour faire une ligne droite.
5. Je ne peux ni manger, ni parler parce que j'ai une ______________ très enflée.
6. Le ________________ est entre la main et le bras; la ____________ est entre le pied et la jambe.
7. Si on mange beaucoup, on a ____________________ très gros.
8. Ce n'est pas vrai: Irène n'est pas grosse, elle a même __________ très fine.
9. Dans les classes, chaque élève a un __________________.
10. De tous les produits laitiers, seule __________________ est du féminin.
11. Je coupe avec un _________________, mais je mange avec une ________.
12. Chaque fois que je me coupe les ongles, je me blesse les ____________.

FORMATION D'UN NOM FÉMININ À PARTIR D'UN NOM MASCULIN

Pour former un nom féminin à partir d'un nom masculin, on ajoute au nom masculin la lettre « e ».

Exemples

Masculin	Féminin
le client	la cliente
l'ami	l'amie
le marchand	la marchande
le commerçant	la commerçante
le client	la cliente
l'avocat	l'avocate
le bourgeois	la bourgeoise
le villageois	la villageoise
l'assistant	l'assistante
l'enseignant	l'enseignante

Quelques cas particuliers

I - Formation d'un nom féminin à partir d'un nom masculin finissant par « er » ou « ier ».

Exemples

Masculin	Féminin
le boucher	la bouchère
l'épicier	l'épicière
le couturier	la couturière

Masculin	Féminin
le fermier	la fermière
le berger	la bergère
le pâtissier	la pâtissière
l'infirmier	l'infirmière
l'ouvrier	l'ouvrière
l'écolier	l'écolière

Les noms féminins formés à partir des noms masculins en « er » ou « ier » prennent la terminaison « ère ».

La lettre « e » qui précède la terminaison « re » prend un accent grave « ` ».

II. Formation d'un nom féminin à partir d'un nom masculin en « eur ».

A.

Masculin	Féminin
le moniteur	la monitrice
l'acteur	l'actrice
le directeur	la directrice
l'instituteur	l'institutrice
l'aviateur	l'aviatrice

B.

Masculin	Féminin
le menteur	la menteuse
le vendeur	la vendeuse
le danseur	la danseuse
le chanteur	la chanteuse

Les noms féminins formés à partir des noms masculins en « eur » prennent la terminaison « trice » ou « euse ».

Seuls les noms qui finissent en « teur » se répartissent entre « euse » et « trice » (avec prédominance de « trice ») .

Attention

La terminaison « e » n'indique pas toujours que le nom est au féminin. De nombreux noms masculins finissent en « e » et de nombreux noms féminins ne se terminent pas en « e ».

Exemples:

Masculin	Féminin
le père	la main
le frère	la mer
le verre	la terminaison
le beurre	la soeur
le ventre	la dent
le fromage	la fleur
le livre	la peur

EXERCICES D'APPLICATION

A. Complétez la phrase en employant correctement le nom souligné.

1. Le boucher vend de la viande.

   La ________________ vend de la viande.

2. M. Roland est le directeur de notre école.

   Mme Durand est la ____________________ de notre école.

3. Jacqueline est une bonne écolière.

   Jacques est un bon ____________________.

4. Nureyev est un grand danseur.

   Karen Kain est une grande ___________________________.

5. C'est une bonne vendeuse.

   C'est un bon ______________________.

6. Cette ouvrière est consciencieuse.

   Cet _______________________ est consciencieux.

7. Paul est le moniteur aujourd'hui.

   Anne est la ____________________ aujourd'hui.

8. Cet infirmier soigne bien les malades.

   Cette __________________________ soigne bien les malades.

9. Gilles Vigneault est un grand chanteur.

   Monique Leyrac est une grande _____________________.

10. La bergère garde les moutons.

    Le ______________________ garde les moutons.

B. Complétez la phrase en employant correctement le nom souligné.

1. Cet <u>épicier</u> vend de bons fruits.

   Cette _______________ vend de bons fruits.

2. Yves Montand est un grand <u>acteur</u>.

   Simone Signoret est une grande _______________.

3. La <u>directrice</u> de notre école est sévère.

   Le _______________ de notre école est sévère.

4. Ce <u>couturier</u> fait de belles robes.

   Cette _______________ fait de belles robes.

5. Je n'aime pas ce <u>danseur</u>.

   Je n'aime pas cette _______________.

6. La <u>pâtissière</u> vend des gâteaux.

   Le _______________ vend des gâteaux.

7. Cette <u>fermière</u> trait la vache.

   Ce _______________ trait la vache.

8. N'écoute pas ce <u>menteur</u> !

   N'écoute pas cette _______________!

9. Mon <u>instituteur</u> est gentil.

   Mon _______________ est gentille.

10. Cette <u>vendeuse</u> est honnête.

    Ce _______________ est honnête.

LE PLURIEL DU NOM

Singulier	Pluriel
le chien	les chiens
le garçon	les garçons
le vase	les vases
la main	les mains
la joue	les joues

- Au pluriel, le nom prend, en général, la terminaison « s ».

- Mais certains noms prennent au pluriel la terminaison « x ».

1. Les noms qui finissent par « eau »:

Singulier	Pluriel
le bateau	les bateaux
le chapeau	les chapeaux
le gâteau	les gâteaux
le manteau	les manteaux
le marteau	les marteaux
le poireau	les poireaux
le rideau	les rideaux
l'oiseau	les oiseaux

2. Un certain nombre de noms qui finissent par « al ».

Singulier	Pluriel
le cheval	les chevaux
le journal	les journaux
le mal	les maux
l'animal	les animaux

LES NOMS QUI NE CHANGENT PAS AU PLURIEL

1. Les noms qui ont la terminaison « s » au singulier. Exemples:

Singulier	Pluriel
le tapis	les tapis
le corps	les corps
le mois	les mois
le temps	les temps
le pois	les pois
le jus	les jus

2. Les noms qui ont la terminaison « x » au singulier. Exemples:

Singulier	Pluriel
la voix	les voix
la croix	les croix
le prix	les prix
la noix	les noix
le choix	les choix

3. <u>Les noms qui ont la terminaison « z » au singulier. Exemples:</u>

Singulier	Pluriel
le nez	les nez
le gaz	les gaz

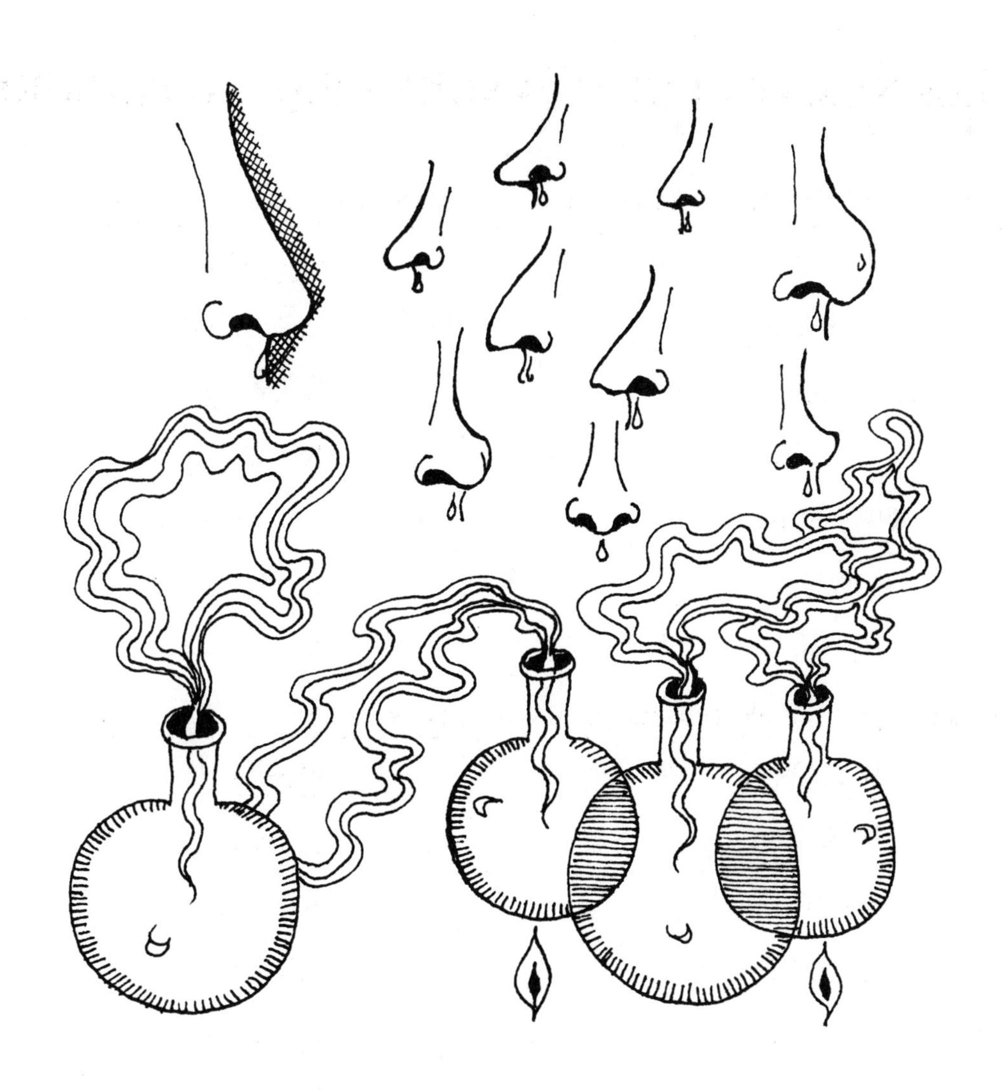

EXERCICES D'APPLICATION

A. Complétez les phrases avec le nom indiqué. N'oubliez pas de faire les accords nécessaires.

1. (L'iris) J'aime beaucoup les ________________; ce sont de très belles fleurs.

2. (Le rossignol) J'aime beaucoup le chant des oiseaux et surtout le chant des ____________________.

3. (Le bateau) À présent, il y a beaucoup de ___________________ à moteur.

4. (Le couteau, la fourchette, la cuiller) Quand je dresse la table, je mets des _________________, des __________________________ et des ______________________.

5. (La voiture, le cheval) Au mont Royal, on voit souvent des ___________________________ tirées par des _________________.

6. (Le livre) Avant de quitter l'école, je mets les ______________ dans le cartable.

7. (L'agneau) Les enfants aiment les petits _____________________.

8. (Le clou, le marteau) On fixe les ___________________ avec des __________________________.

9. (La langue) Dans notre école, on enseigne plusieurs ____________.

10. (Le corps) Cet homme a un _______________ d'athlète.

11. (Le jus) Mon petit frère adore le ___________ de pomme.

12. (Le rideau) J'ai de beaux ___________________ dans ma chambre.

B. Complétez les phrases avec les noms indiqués. N'oubliez pas de faire les accords nécessaires.

1. (Le cheval) Mon oncle assiste souvent à des courses de ________________________.

2. (Le mois) J'aime bien les __________________ de septembre et d'octobre qui correspondent à l'été des Indiens.

3. (Le chapeau, le manteau) Il y a un grand choix de _______________ et de _____________________ dans ce magasin.

4. (Le pois, le poireau, la carotte) Dans la soupe, ma mère met des ____________________, des ________________ et des ________________.

5. (Le journal) Mon père lit deux __________________, « La Presse » et « Le Devoir ».

6. (Le gâteau) Dans cette pâtisserie, on trouve d'excellents _____________________________.

7. (Le tapis) Dans ma chambre, j'ai deux petits ____________________.

8. (L'auto) Les ___________________ importées du Japon sont les moins chères.

9. (L'écolier) Les _______________________ ont leurs vacances en juillet et en août.

10. (L'ananas) Chez nous, on sert rarement des ____________________.

11. (La noix) Ma mère met souvent des __________________ dans ses gâteaux.

12. (Le prix) As-tu vu le _______________ de ces jouets ?

EXERCICES DE COMPLÉTION

A. Complétez les phrases suivantes. Choisissez parmi les noms encadrés. N'oubliez pas d'accorder le mot choisi avec les autres éléments de la phrase.

La fraise, la framboise, le médicament, l'oeil, le facteur, la niche, le soulier, le casier, la gomme, le chou-fleur, le réfrigérateur.

1. De tous les fruits, je préfère les ______________________ et les ______________________.
2. En classe, je range les cahiers dans mon ______________________.
3. Le ______________________ est un excellent légume.
4. Le ______________________ nous apporte des lettres presque tous les jours.
5. Ma ________________ efface bien.
6. Notre chien passe les nuits dans sa ______________________.
7. Quand j'ai mal, même à un seul ________________, je ne vois pas bien.
8. Je n'aime pas marcher sans ______________________.
9. Il y a des docteurs qui donnent trop de ______________________ à leurs malades.
10. Il faut garder les produits laitiers dans le ______________________.

B. Complétez les phrases suivantes. Choisissez parmi les noms encadrés. N'oubliez pas d'accorder le mot choisi avec les autres éléments de la phrase.

Le boucher, l'habit, la chaussée, l'épicier, le boulanger, la gorge, le pain, la joue, l'oreille, la cuisse, le bras.

1. Ce tailleur fait les ____________________ de mon père.
2. Pour aller au parc, les élèves traversent la ____________________.
3. J'ai mal à la ______________, juste au-dessus du genou.
4. Les professeurs ont souvent mal à la ________________________ parce qu'ils parlent beaucoup.
5. Quand je crie, ma mère se met les mains sur les ______________.
6. Chez mon boulanger, on vend du bon ____________________.
7. Irène a mal à une dent et sa ____________________ est enflée.
8. Henri a un ______________ cassé.
9. On trouve d'excellents aliments chez mon ____________________.
10. Mon ____________________ vend de la bonne viande.

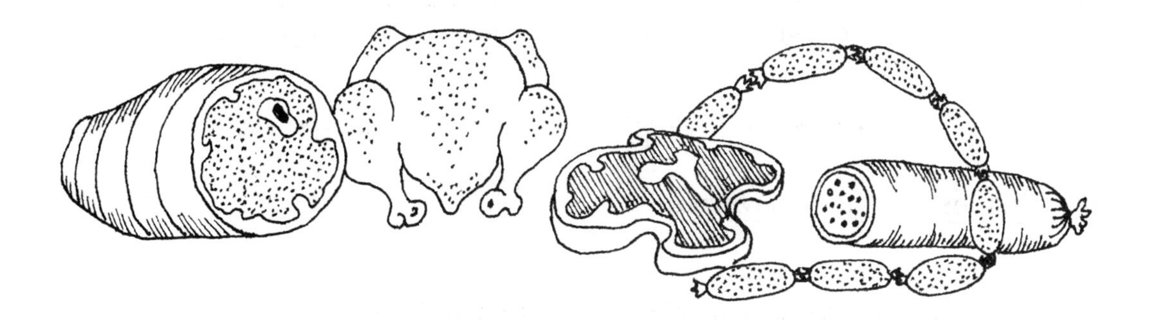

LE VERBE

1. Paul cherche son ballon.
   - Lorsque Paul cherche, il fait une action.
2. Lucie saute à la corde.
   - Lorsque Lucie saute, elle fait une action.
3. Tu frappes à la porte.
   - Lorsque tu frappes, tu fais une action.

Une action est un verbe: donc « cherche », « saute », « frappes» sont des verbes.

1. Paul cherche son ballon.
   - Lorsque Paul cherche, le nom du verbe est « chercher ».
     Chercher est un infinitif.
2. Lucie saute.
   - Lorsque Lucie saute, le nom du verbe est « sauter ».
     Sauter est un infinitif.
3. Tu frappes à la porte.
   - Le nom du verbe est « frapper ». Frapper est un infinitif.

« Chercher », « sauter » et « frapper » sont des infinitifs.

L'infinitif est le nom du verbe.

LES FAMILLES DE VERBES ET LEURS TERMINAISONS

Comme vous, le verbe a une famille. Prenons comme exemple la famille suivante:

- Le père s'appelle Michel Berger.
- La mère s'appelle Irène Berger.
- La fille s'appelle Hélène Berger.
- Le fils s'appelle Patrick Berger.

Ce qui est commun à tous les membres de cette famille, c'est le nom « Berger ». « Berger » est le nom de cette famille.

Prenons maintenant comme exemple les verbes suivants:
Parler, chercher, marcher, chanter, danser (etc.); « er » se trouve à la fin de chacun de ces verbes; « er » est la terminaison du verbe.

Ce qui est commun à tous ces verbes, c'est la terminaison « er »; « er » est le nom de cette famille.

parler)
chercher)
marcher)
danser)
jouer)
trouver)
crier)
étudier)
etc.)

font partie de la famille « er »

Le verbe « parler » va servir de modèle aux verbes de la famille « er » (à l'exception du verbe « aller »).

LA FAMILLE «ER» PRÉSENT

Le verbe au présent exprime une action qui est en train de se dérouler au moment où l'on parle.

Modèle: PARLER

Je parle	Nous parlons
Tu parles	Vous parlez
Paul parle	Jacques et Paul parlent
Il parle	Ils parlent
Aline parle	Aline et Irène parlent
Elle parle	Elles parlent

On parle

La terminaison « er » change de forme lorsqu'on marie l'infinitif avec « je », « tu », « il », « elle », « nous », « vous », « ils », « elles », « on »...

Exemples

Parler - tu parles

Parler - nous parlons

Tous les verbes de la famille « er » (à l'exception du verbe « aller ») sont soumis aux mêmes modifications.

EXERCICES D'APPLICATION

A. Complétez les phrases à l'aide du verbe « parler ».

1. Je ________________ beaucoup.
2. Est-ce que tu ________________ de moi ?
3. Nous ________________ de notre professeur.
4. Il ne ________________ pas pendant les cours.
5. Est-ce que vous ________________ avec Aline ?
6. Aline ________________ très fort.
7. Elle ________________ très fort.
8. Jean et Michel ________________ avec leurs amis.
9. Ils ________________ avec leurs amis.
10. Les élèves ________________ pendant la récréation.
11. Ils ________________ pendant la récréation.

B. Complétez les phrases avec le verbe indiqué.

Chercher

1. Ma soeur ______________ son cahier.
2. Nous ________________ un nouvel appartement.
3. Est-ce que tu ________________ quelqu'un ?

Trouver

4. Je ne ________________ pas mon livre.
5. Le parc se ______________ au coin des rues Van Horne et Westbury.

Marcher

6. Les piétons ________________ sur le trottoir.

7. Ma petite soeur ________________ déjà.

8. Mon petit frère ne ________________ pas encore.

Arriver

9. Est-ce que vous ________________ toujours à l'école à l'heure ?

10. Oui, nous ________________ toujours à l'heure.

Retenez « chercher » et « trouver ».

C. Complétez les phrases avec le verbe indiqué.

1. On (raconter) ________________ souvent des histoires aux enfants.

2. Je (rencontrer) ________________ quelquefois mes amis dans la rue.

3. Ils (regarder) ________________ la télévision le soir.

4. Ils (écouter) ________________la radio le matin.

5. Nous (saluer) ________________nos amis.

6. Nous (aimer) ________________ nos amis.

7. Mon père (prêter) ________________ souvent ses livres à ses amis.

8. Ma soeur (emprunter) ________________ souvent des livres à la bibliothèque.

9. En hiver, je (porter) ________________ un manteau et une tuque.

10. Elle (apporter) ________________des fleurs à sa mère.

Faites la différence entre: « raconter » et « rencontrer ».
« prêter » et « emprunter ».
« porter » et « apporter ».

D. Complétez les phrases avec le verbe indiqué.

1. Michel (apporter) ____________ tous les jours ses livres de français à l'école.
2. Tous les dimanches, nous (jouer) ________________ au hockey avec notre père.
3. Lorsqu'on marche beaucoup, on (user) ________________ vite ses souliers (ses chaussures).
4. Avant de semer, nous (arracher) ________________ les mauvaises herbes.
5. Oui, je (aider) ___________________ ma mère.
6. Est-ce que tu (éplucher) _________________ les légumes maintenant?
7. Michel (ronfler) _________________ fort pendant son sommeil.
8. Avant de laver la vaisselle, je (retrousser) _______________ mes manches.
9. Est-ce que vous faites bien attention quand vous (traverser) _________________________ la rue ?

Remarque

Lorsque « je » est suivi d'un verbe qui commence par une voyelle, on met « j' »; l'apostrophe remplace le « e ».

E. Complétez les phrases avec le verbe indiqué.

1. Tu entends mal parce que tu (écouter) __________________ mal.
2. D'abord je (laver) ________________ ma soeur et ensuite je (se laver) me ____________________.
3. D'abord je (habiller) ________________ ma soeur et ensuite je (s'habiller) m' ______________________.
4. Je (avancer) ____________________ bien en français.
5. Mon professeur est si petit que pour montrer quelque chose aux élèves, il (monter) ________________ sur une chaise.
6. Est-ce que vous (penser) ________________ à vos amis ?
7. Ma soeur pèse 50 kilos et elle (mesurer) _________________ 1,50 m.
8. Nous (arroser) _______________ tous les jours notre gazon.
9. Dans notre jardin, nous (planter) _______________ des choux et d'autres légumes.
10. Tu (porter) __________________ une jolie robe.

Remarque: Lorsque « je » est suivi d'un verbe qui commence par un « h muet », on met « j' »; l'apostrophe remplace le « e ».

Attention: faites la différence entre: « laver » et « se laver ».
« habiller » et « s'habiller ».
« entendre » et « écouter ».
« regarder » et « voir ».
« monter » et « montrer ».

EXERCICE DE COMPLÉTION

Complétez les phrases. Choisissez parmi les verbes encadrés. N'oubliez pas d'accorder le verbe choisi avec les autres éléments de la phrase.

Arroser, montrer, jouer, oublier, déchirer, japper, étudier, travailler, habiter, s'habiller, miauler, monter, aider.

1. Je me lève très tôt et je m'____________ tout de suite après.
2. Mon père ______________ quarante heures par semaine.
3. J' ________________ très vite ce que j'apprends.
4. J' _____________________ rue Van Horne.
5. Quand mon petit chien ______________, mon chat __________________ et le bruit devient très fort.
6. Michel __________________ son album de timbres à Irène.
7. Je ne _______________ pas sur cette échelle parce qu'elle est cassée.
8. Est-ce que nous ____________ à la balle ou au ballon ?
9. Chez nous, on ________________ les plantes deux fois par semaine.
10. Aujourd'hui, je ne joue pas, mais j'______________________.
11. Mon petit frère ________________ souvent mes livres.
12. J' ________________ souvent ma petite soeur à s'habiller.

Attention: on dit « je m'habille »
« tu t'habilles »
« il s'habille »

L'IMPÉRATIF

a) Michel, quitte la classe !

b) Aline et Michel, quittez , s'il vous plaît, la classe !

c) Quittons la classe !

Les trois phrases expriment un ordre ou une demande.

Les formes verbales « quitte », « quittons », « quittez » qui servent à signifier l'ordre ou la demande, portent le nom d'impératif.

a) Le verbe « quitte » est une forme de l'impératif singulier.

b) Le verbe « quittez » est une forme de l'impératif pluriel.

c) Le verbe « quittons » est une autre forme de l'impératif pluriel.

- L'impératif singulier (a) exprime un ordre (ou une demande) adressé à une seule personne.

- L'impératif pluriel (b) concerne un ordre (ou une demande) adressé à plusieurs personnes.

- L'impératif pluriel (c) concerne une action à exécuter avec la participation de la personne qui émet l'ordre ou la demande.

- Le verbe à l'impératif n'est précédé ni d'un pronom, ni d'un nom sujet.
- Si la personne (ou les personnes) à qui l'ordre s'adresse est nommée, elle doit être séparée du reste de la phrase par une virgule.

- La virgule sert à marquer l'arrêt que l'on observe à l'oral avant de donner un ordre ou d'exprimer une demande.

Observation:

L'impératif pluriel (forme b) est en outre utilisé lorsque la demande est adressée à une personne envers laquelle nous employons, par politesse, le pronom pluriel « vous » à la place du pronom singulier « tu ».

FORMATION DE L'IMPÉRATIF

L'impératif se forme à partir du présent sans le pronom.

Exemples: quittons la classe !

quittez la classe !

quitte la classe !

Pour former l'impératif du verbe:

a) au pluriel, on enlève les pronoms « nous » et « vous » (selon le cas);

b) au singulier, on enlève le pronom « tu ».

Observation

- Les verbes de la famille « er » ne gardent pas le « s » de la deuxième personne du singulier du présent.

FAMILLE «ER» IMPÉRATIF

Jacques, parle plus fort !

Jacques et André, parlez plus fort !

Parlons plus fort !

EXERCICES D'APPLICATION

A. Complétez les phrases avec le verbe indiqué.

1. Paul, (parler) ________________ plus fort !
2. Irène, (écouter) ________________ ce que je dis !
3. Jacques, (prêter) ________________ ton crayon à Henri !
4. Paul et Irène, (regarder) ________________ le tableau !
5. Mes enfants, (marcher) ________________ plus lentement !
6. Mon enfant, (porter) ________________ton imperméable !
7. Maman, (couper) ________________ ma viande, s'il te plaît !
8. Monique, (excuser) ________________-moi, s'il te plaît !
9. Grand-père, (raconter) ________________-nous une belle histoire, s'il te plaît !
10. Mes amis, (montrer) ________________-moi ces photos, s'il vous plaît !

B. Complétez les phrases avec le verbe indiqué.

1. Michel (jouer) ________________ maintenant du piano.
2. Michel, (jouer) ________________ du piano maintenant!
3. Les enfants (éplucher) ________________ les légumes.
4. Mes enfants, (éplucher) ________________ les légumes !
5. Jeanne (regarder) ________________ mon dessin.
6. Jeanne, (regarder) ________________ mon dessin !
7. Henriette et Michel (arroser) ________________ les fleurs.
8. Henriette et Michel, (arroser) ________________ les fleurs !
9. Charles (prêter) ________________ un livre à mon frère.
10. Charles, (prêter) ________________ un livre à mon frère !

C. Complétez les phrases avec le verbe indiqué.

1. Mes enfants, (saluer) ____________________ votre directeur !
2. Aline et Jean, (aider) _______________-moi, s'il vous plaît !
3. Jacques, fais attention quand tu (traverser) ______________ la rue !
4. Mes enfants, (donner) ____________-moi ce bouquet de fleurs, s'il vous plaît !
5. Ces enfants (habiter) __________________ rue Saint-Luc.
6. Paul, (marcher) ___________________ sur le trottoir !
7. Mon père (prêter) _______________ souvent ses livres à ses amis.
8. Maman, (passer) _____________-moi le sel, s'il te plaît !
9. Jacques et Aline (étudier) ________________ beaucoup.
10. Cet ouvrier (travailler) _________________ très fort.

D. Complétez les phrases avec le verbe indiqué.

1. Mes enfants, (changer) __________________de place !
2. Nous (traverser) _____________la rue en présence de nos enseignants.
3. Est-ce que tu (regarder) ______________la télévision tous les jours?
4. Quand le professeur est ennuyeux, je (bâiller) ___________________ sans arrêt.
5. Mes amis, (raconter) _____________ comment vous avez passé vos vacances !
6. Mon enfant, (arrêter) ____________________ de travailler !
7. On (couper) ___________________ la viande avec un couteau.
8. Monsieur Dupont (arrêter) _________________ de travailler.
9. Mes enfants, (chercher) _____________ vite ce que vous avez perdu !
10. Nous (écouter) __________tous les jours les nouvelles à la radio.

EXERCICE DE COMPLÉTION

Complétez les phrases. Choisissez parmi les mots encadrés. N'oubliez pas d'accorder le mot choisi avec les autres éléments de la phrase.

De moi, au coin, la récréation, rencontrer, raconter, pas encore, fort, le trottoir, emprunter, porter, apporter, arrêter, prêter, dessin, habiter.

1. Regarde mon ___________, je dessine bien, n'est-ce pas ?
2. Je ne peux pas ___________ tous les livres à l'école, ils sont trop lourds à porter.
3. Les piétons marchent sur _______________.
4. Parles-tu _____________ ou de ma soeur?
5. Notre école se trouve ________________ des rues Van Horne et Mountain Sight.
6. Ne parle pas si ________________!
7. Pendant ________________, nous jouons dans la cour.
8. Je ________________ souvent mes amis au parc.
9. Tu ________________une jolie robe.
10. Hélène, ____________-moi ta gomme, s'il te plaît !
11. Michel, _____________ ce que vous avez fait aujourd'hui à l'école !
12. Est-ce que tu ________________ cette maison ou l'autre ?
13. Mon frère ne parle ______________; il n'a que huit mois.
14. J' __________ tous mes livres de lecture à la bibliothèque scolaire.
15. Mes enfants, ____________ de parler !

LE NÉGATIF

Je ne mange pas maintenant.

Nous ne regardons pas la télévision.

Vous ne voyagez pas souvent.

Jacques, ne déchire pas ce papier !

On exprime la négation par « ne...pas ».

On met « ne » avant le verbe, « pas » après le verbe.

Il n'aime pas le poisson.

Tu n'écoutes pas ce que je dis.

Aline, n'oublie pas ton manteau !

Irène n'habite pas ici.

Lorsque « ne » est suivi d'un verbe qui commence par une voyelle ou par un « h » aspiré, on met « n' »; l'apostrophe remplace le « e ».

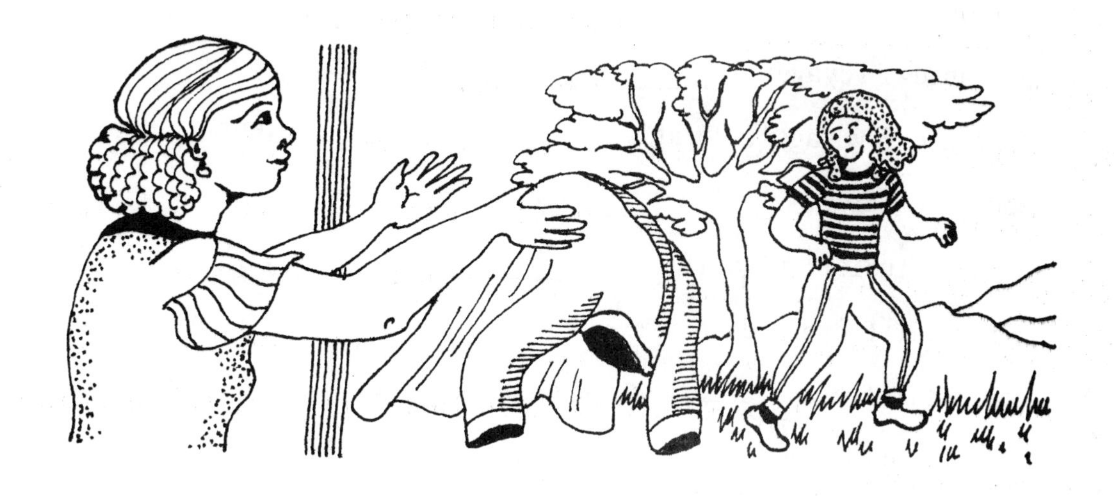

EXERCICES D'APPLICATION

A. Complétez les phrases avec le verbe indiqué.

1. Mon professeur (parler) ______________ souvent à mon père.
2. Mon professeur (parler, négatif) ___________ souvent à mon père.
3. Monsieur Séguin (rencontrer) ____________ souvent mon oncle.
4. Monsieur Séguin (rencontrer, négatif) ____________ souvent mon oncle.
5. Alain (raconter) ____________ à son père ce qu'il apprend à l'école.
6. Alain (raconter, négatif) __________ à son père ce qu'il apprend à l'école.
7. Paul (écouter) ______________ ce que je dis.
8. Paul (écouter, négatif) _______________ ce que je dis.
9. Mes enfants, (jouer) __________________ maintenant !
10. Mes enfants,(jouer, négatif) _____________________ maintenant !

B. Complétez les phrases avec le verbe indiqué.

1. Paul (oublier) ______________ souvent ses devoirs à la maison.
2. Paul (oublier, négatif) _____________ souvent ses devoirs à la maison.
3. Ma tante (voyager) ________________ souvent.
4. Ma tante (voyager, négatif) ______________ souvent.
5. Nous (étudier) _____________ beaucoup.
6. Nous (étudier, négatif) _____________ beaucoup.
7. Mon petit frère (déchirer) ____________________ souvent mes livres.
8. Mon petit frère (déchirer, négatif)____________ souvent mes livres.
9. Paul, (arracher) ________________ cette page d'exercice !

10. - Paul, (arracher, négatif) _______________ cette page d'exercice !

- Faites la différence entre: « arracher » et « déchirer ».

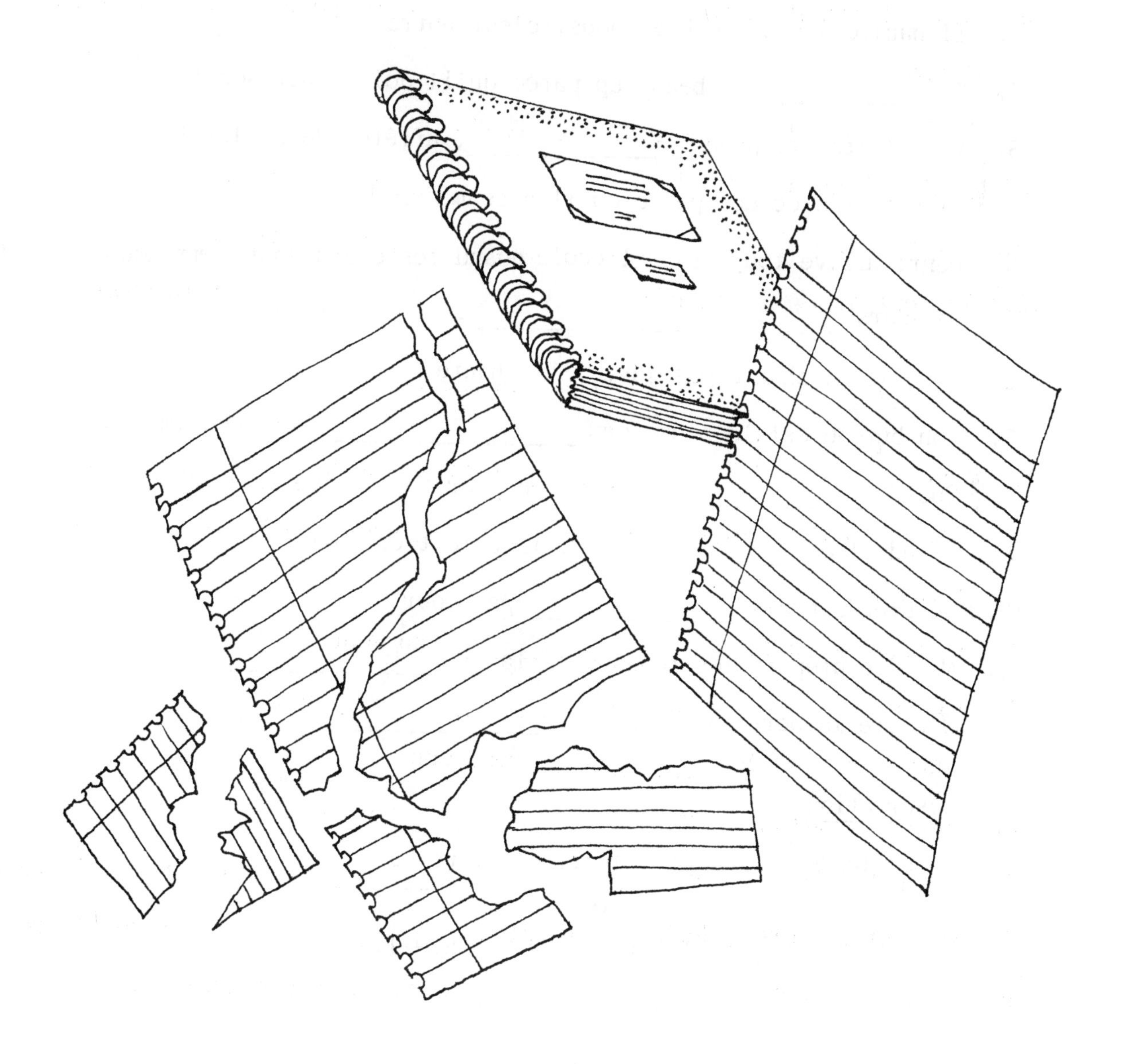

EXERCICE DE COMPLÉTION

Complétez les phrases. Choisissez parmi les mots encadrés. N'oubliez pas d'accorder le mot choisi avec les autres éléments de la phrase.

Faux, le voisin, le cadeau, le meuble, la cuisine, le repas, le travail, en retard, la clé, en colère, travailler, le bruit.

1. Il habite à côté de chez nous, c'est notre ________________.
2. Il ______________ beaucoup parce qu'il doit finir son travail.
3. Vous faites trop de ______________, arrêtez de parler !
4. Il est très occupé parce qu'il a beaucoup de ____________ .
5. Henri arrive toujours à l'école quand les cours sont commencés; il est toujours _________________________.
6. Non, il ne chante pas juste, il chante _________________.
7. Mon bureau est le plus beau __________________de ma chambre.
8. Quel _________________ veux-tu pour ton anniversaire ?
9. Quand il est ______________, il crie très fort.
10. Je prends trois ______________ par jour.
11. Ma mère prépare les repas dans la ___________________.
12. J'ouvre la porte avec une __________________.

Observation

Ne confondez pas « je travaille » (verbe)

avec

« le travail » (nom).

LE PRONOM PERSONNEL

A. LES PRONOMS PERSONNELS SUJETS: « il », « elle », « ils », « elles ».

1. Charles joue.

   Il joue.

   Le mot « il » qui remplace Charles est un pronom.

   C'est un pronom masculin singulier.

2. Charlotte chante.

   Elle chante.

   Le mot « elle » qui remplace « Charlotte » est un pronom.

   C'est un pronom féminin singulier.

3. Charles et Jean jouent.

   Ils jouent.

   Le mot « ils » qui remplace « Charles et Jean » est un pronom.

   C'est un pronom masculin pluriel.

4. Charlotte et Irène dansent.

   Elles dansent.

   Le mot « elles » qui remplace « Charlotte et Irène » est un pronom.

   C'est un pronom féminin pluriel.

5. Jean et Irène parlent.

   Ils parlent.

   Le mot « ils » * qui remplace « Jean et Irène » est un pronom.

   C'est un pronom masculin pluriel.

   * Remarque

   Le pronom mis à la place de deux noms (ou plus) dont l'un est masculin et l'autre féminin, prend la forme du masculin pluriel « ils ».

6. Le chien jappe.

Il jappe.

Le mot « il » qui remplace le chien est un pronom.

C'est un pronom masculin singulier.

7. La chatte miaule.

Elle miaule.

Le mot « elle » qui remplace la chatte est un pronom.

C'est un pronom féminin singulier.

8. Les pigeons volent.

Ils volent.

Le mot « ils » qui remplace les pigeons est un pronom.

C'est un pronom masculin pluriel.

9. La porte est fermée.

Elle est fermée.

Le mot « elle » qui remplace la porte est un pronom.

C'est un pronom féminin singulier.

10. Le mur est blanc.

Il est blanc.

Le mot « il » qui remplace le mur est un pronom.

C'est un pronom masculin singulier.

11. Les livres sont sur la table.

Ils sont sur la table.

Le mot « ils » qui remplace les livres est un pronom.

C'est un pronom masculin pluriel.

12. Les feuilles tombent de l'arbre.

Elles tombent de l'arbre.

Le mot « elles » qui remplace les feuilles est un pronom.

C'est un pronom féminin pluriel.

Les mots qui remplacent les noms sont appelés pronoms

Les pronoms « il », « elle », « ils », « elles » sont des pronoms personnels sujets.

Ils représentent les personnes, les animaux ou les choses dont on parle.

« Il » remplace un nom masculin singulier.
« Elle » remplace un nom féminin singulier.
« Ils » * remplace un nom masculin pluriel.
« Elles » remplace un nom féminin pluriel

* Remarque

Le pronom « ils » est aussi employé pour remplacer deux noms (ou plus) dont l'un est au masculin et l'autre au féminin.

B. LE PRONOM INDÉFINI « ON »

Exemples:

- On frappe à la porte.
- On entend des pas.

Lorsqu'on n'indique pas l'identité de la personne ou des personnes en action, on emploie le pronom indéfini « on ».

Le verbe précédé de « on » prend la même forme que lorsqu'il est précédé de « il » ou de « elle ».

C. LES PRONOMS PERSONNELS SUJETS: « JE », « TU », « NOUS », « VOUS ».

- Le pronom personnel « je » représente la personne qui parle (de ce qu'elle fait, de ce qu'elle pense ...)
- Le pronom personnel « tu » représente la personne à qui l'on parle.

- Les pronoms personnels « nous » et « vous » sont les équivalents pluriel de « je » et « tu ».

- Les pronoms « je », « tu », « nous » et « vous » ne se rapportent qu'aux personnes. (Quand ton Minou, Fido ou la poupée sauront dire: « je », « tu », « nous », « vous », on changera les règles de la grammaire !)

Observation

Le pronom personnel « vous » est aussi employé comme forme de politesse lorsqu'on s'adresse à une personne adulte qui ne fait généralement pas partie de la famille.

Exemples:

Puis-je vous aider, Madame ?

Que désirez-vous, Monsieur ?

Excusez-moi, Mademoiselle !

EXERCICES D'APPLICATION

A. Remplacez le nom par le pronom approprié.

1.	Le garçon parle.	1.	Il ______ parle.
2.	Les garçons parlent.	2.	______ parlent.
3.	La fille saute.	3.	______ saute.
4.	Les filles sautent.	4.	______ sautent.
5.	Henri chante.	5.	______ chante.
6.	Henri et Michel chantent.	6.	______ chantent.
7.	Jeanne mange.	7.	______ mange.
8.	Jeanne et Irène parlent.	8.	______ parlent.
9.	Mon frère étudie.	9.	______ étudie.
10.	Mes frères étudient.	10.	______ étudient.
11.	Ma soeur joue.	11.	______ joue.
12.	Mes soeurs jouent.	12.	______ jouent.
13.	La classe chante.	13.	______ chante.
14.	Les classes travaillent.	14.	______ travaillent.
15.	Ma famille s'amuse les dimanches.	15.	______ s'amuse les dimanches.

Remarques

- « La classe » est au singulier parce que le mot « classe » est précédé de « la », article au singulier.
- « La famille » est au singulier parce que le mot « famille » est précédé de « la », article au singulier.
- « Les classes » est au pluriel parce que le mot « classes » est précédé de « les ». ».
- « Les familles » est au pluriel parce que le mot « familles » est précédé de « les ».

Attention

Dans de nombreux cas, l'article peut vous aider à reconnaître si le nom est au singulier ou au pluriel.

B. Récrivez les phrases en remplaçant le nom par le pronom approprié.

1. Mon frère habite Toronto. Il habite Toronto.
2. Ma soeur s'habille lentement. ______________
3. Les élèves ramassent les papiers. ______________
4. Jacques et Mireille étudient. ______________
5. Les filles sautent à la corde. ______________
6. La pomme est rouge. ______________
7. Les pommes sont rouges. ______________
8. La cloche sonne. ______________
9. Les cloches sonnent. ______________
10. Ce cahier est déchiré. ______________
11. Ces cahiers sont déchirés. ______________
12. Le cartable est vide. ______________
13. Les cartables sont vides. ______________

Remarque: Faites la différence entre « habiter » et « s'habiller ».

C. Récrivez les phrases en remplaçant le nom par le pronom approprié.

1. La classe est calme. Elle est calme. ____________________

2. Le crayon est noir. ____________________

3. Les cuillers sont là. ____________________

4. Les professeurs se fâchent. ____________________

5. Les fenêtres sont ouvertes. ____________________

6. Le plafond est haut. ____________________

7. Les murs sont blancs. ____________________

8. La règle est longue. ____________________

9. Le plancher est propre. ____________________

10. Les chiens jappent. ____________________

11. Les chats miaulent. ____________________

12. Les enfants jouent. ____________________

EXERCICE DE COMPLÉTION

Complétez les phrases. Choisissez parmi les mots encadrés. N'oubliez pas d'accorder le mot choisi avec les autres éléments de la phrase.

La baignoire, souvent, l'autobus scolaire, éplucher, japper, habiter, lentement, le printemps, oublier, appartement, raconter, vite.

1. Ce chien ____________________.
2. Est-ce que tu ____________________ les pommes de terre ?
3. Quand je suis en retard pour l'école, je marche ____________________.
4. Au retour de l'école, je marche ____________________.
5. Il ____________________ en face de chez moi.
6. Pour aller à l'école, je prends l' ____________________.
7. Le ____________________ est la plus belle saison de l'année.
8. Pour prendre un bain ou une douche, j'entre dans la ____________________.
9. Je vais rarement au théâtre, mais très ______________ au cinéma.
10. Je n' ______________ pas mes amis.
11. Nous avons beaucoup de chambres dans notre nouvel ____________________.
12. Grand-père, s'il te plaît, ______________-nous une belle histoire !

AVOIR
PRÉSENT

Le verbe « avoir » n'a pas de famille. Le voici:

Présent

Maintenant, j'ai du courage.

Maintenant, tu as du courage.

Maintenant, Alain a du courage.

Maintenant, il a du courage.

Maintenant, Anne a du courage.

Maintenant, elle a du courage.

Maintenant, nous avons du courage.

Maintenant, vous avez du courage.

Maintenant, André et Alain ont du courage.

Maintenant, ils ont du courage.

Maintenant, Nicole et Irène ont du courage.

Maintenant, elles ont du courage.

Impératif

Alain, aie du courage !

Alain et Aline, ayez du courage !

Mon enfant, aie du courage !

Mes enfants, ayez du courage !

Ayons tous du courage !

EXPRESSIONS AVEC «AVOIR»

Retenez les expressions suivantes:

1. Avoir l'âge: J'ai neuf (9) ans.

   Tu as neuf (9) ans.

   etc.

2. Avoir chaud: J'ai chaud ...
3. Avoir froid: J'ai froid ...
4. Avoir faim: J'ai faim...
5. Avoir soif: J'ai soif ...
6. Avoir sommeil: J'ai sommeil ...
7. Avoir mal: J'ai mal ...
8. Avoir peur: J'ai peur ...
9. Avoir besoin: J'ai besoin de ...
10. Avoir raison: J'ai raison ...
11. Avoir tort: J'ai tort ...

Faites la différence entre:

a) - J'ai froid. J'ai chaud.

   - Il fait froid. Il fait chaud.

b) - J'ai mal

   - Je suis malade.

c) - J'ai sommeil. Quand j'ai sommeil, je dors.

   - Je suis fatigué. Quand je suis fatigué, je me repose.

EXERCICES D'APPLICATION

A. Complétez les phrases suivantes à l'aide du verbe « avoir ».

1. Oui, j' ____________ du temps, je peux te parler.
2. Si les enfants se couchent tard, ils _____________ sommeil toute la journée.
3. Vous ______________ de la chance !
4. Ils veulent manger et boire parce qu'ils __________ faim et soif.
5. Un peureux ___________ peur de tout !
6. Est-ce que tu _________________ ton livre de français ?
7. Quel âge ___________-tu ?
8. Ces enfants ______________ besoin de livres de français.
9. Est-ce que vous ____________ beaucoup à faire maintenant ?

B. Complétez les phrases à l'aide du verbe « avoir ».

1. Les enfants ____________ trop à faire aujourd'hui.
2. Nous ________________ Mme Irène comme professeur de français.
3. Oh, que j' ___________ froid !
4. Michel ________________ de la patience.
5. Michel, __________________ de la patience !
6. Tu ___________ vraiment du courage.
7. Aline, ______________ la gentillesse de fermer la porte !
8. Il ______________ honte parce qu'il a menti.
9. Mes enfants (négatif) ____________peur.
10. Mes enfants, (négatif) _______________peur!

C. Complétez les phrases à l'aide du verbe « avoir ».

1. Maman __________ mal à la tête.

2. Alain et Michel ____________ de bonnes notes.

3. ____________-tu un chien ?

4. Oui, je _________ un chien.

5. Nous _______________envie de jouer.

6. Aline et Brigitte _______________ faim, mais elles (négatif) _____________ soif.

7. Vous ______________ très chaud.

8. Nous (négatif) ______________ beaucoup de temps libre.

9. Brigitte, ______________ de la patience !

10. Jean et Hélène, _____________ de la patience !

11. Irène et Michel _________ raison, mais toi, tu __________ tort.

12. Mes parents (négatif) ____________ d'auto.

D. Complétez les phrases à l'aide du verbe « avoir ».

1. Brigitte et Anne ___________ raison d'apprendre le français.

2. Paul ________ tort de négliger ses devoirs.

3. Je ________ très soif; donnez-moi un verre d'eau, s'il vous plaît !

4. Mes enfants, ________ de la patience !

5. ______________-vous encore besoin de ce livre ?

6. Non, mon frère (négatif) ______________ encore onze ans.

7. Mets ton manteau, si tu _________ froid !

8. Mes deux amis _____________ peur des chiens.

9. Ma mère ____________ mal au dos.

10. Vous (négatif) __________________ honte de dire des mensonges ?!

E. Complétez les phrases avec le verbe indiqué.

1. En hiver, nous (allumer) ______________ les lampes très tôt.
2. Monsieur Samuel (travailler) _______________ chez mon père.
3. Ces enfants (avoir, négatif) ___________ faim maintenant, ils (avoir) ______________ soif.
4. Est-ce que vous (emprunter) _________ souvent des livres à la bibliothèque?
5. Tu (avoir, négatif) ___________ honte de dire des mensonges ?!
6. Mes enfants, (ranger) ______votre chambre tout de suite !
7. Nous (avoir) ___________ besoin les uns des autres.
8. Jacques, (avoir) _____________ le courage de dire la vérité !
9. Gilles et Robert, (marcher, négatif) _____________ si vite, s'il vous plaît !
10. Qu'est-ce que tu (avoir) _____________________?

F. Complétez les phrases avec le verbe indiqué.

1. Est-ce que vous (regarder) ___________ souvent la télévision ?
2. Est-ce que vous (avoir) __________ faim ?
3. Tu (avoir, négatif) _______________ bonne mine.
4. Tu (écouter, négatif) ______________ ce que je dis.
5. Ces enfants (jouer) ___________ souvent dehors.
6. Ces enfants (avoir, négatif) ____________ beaucoup de temps libre.
7. Mon garçon, (donner) ______-moi un kilo de pommes, s'il te plaît !
8. Mon garçon, (avoir) _____________ la bonté de répondre à ma question !

9. Mes enfants, (chercher) ______________ bien vos cahiers !

10. Mes enfants, (avoir) ________________ de la patience !

LE PASSÉ COMPOSÉ

Maintenant, je mange une pomme.

Avant le repas, j'ai mangé une pomme.

Aujourd'hui, tu nages dans le lac.

Hier, tu as nagé dans le lac.

Aujourd'hui, nous jouons à la balle.

Hier, nous avons joué à la balle.

Aujourd'hui, Paul aide son père.

Hier, Paul a aidé son père.

1. Lorsque dans la phrase, il y a des mots comme:

   avant
   hier
   avant-hier
   la semaine passée
   le mois dernier
   l'année dernière
   il y a un mois
   il y a un instant

   on met le verbe au passé (composé).

   Lorsque l'expression « il y a » est suivie d'un mot qui exprime la mesure du temps (comme un mois, une heure, un instant), nous mettons le verbe au passé.

2. À la différence du présent, le passé composé comprend deux verbes:

   a) le verbe avoir au présent;

   b) le verbe qui exprime l'action.

Seul le verbe « avoir » change; il prend les formes du présent.

Le verbe qui exprime l'action garde la même forme au cours de la conjugaison.

Seul le verbe « avoir » change au cours de la conjugaison. Il revêt les formes du présent. Le verbe qui exprime l'action prend une forme différente de celle de l'infinitif mais garde sa nouvelle forme inchangée tout au long de la conjugaison.

LES VERBES EN «ER» AU PASSÉ COMPOSÉ

Le verbe parler

Hier, j'ai parlé à Henri.

Hier, tu as parlé à Henri.

Hier, Paul a parlé à Henri.

Hier, il a parlé à Henri.

Hier, Aline a parlé à Henri.

Hier, elle a parlé à Henri.

Hier, on a parlé à Henri.

Hier, nous avons parlé à Henri.

Hier, vous avez parlé à Henri.

Hier, Alain et Jacques ont parlé à Henri.

Hier, ils ont parlé à Henri.

Hier, Irène et Anne ont parlé à Henri.

Hier, elles ont parlé à Henri.

Remarque:

« Parlé » se forme à partir de l'infinitif. On enlève à l'infinitif la terminaison « er » et on la remplace par « é ».

Formation

parl~~er~~ - parlé

EXERCICES D'APPLICATION

A. Complétez les phrases avec le verbe indiqué.

Jouer

1. Hier, je _______________ au baseball.
2. La semaine dernière, nous _______________ au ballon dans la cour de l'école.

Prêter

3. Hier, Irène _____________ son livre de français à Jacques.
4. Avant-hier, mes parents _________________ leur auto à leurs amis.

Écouter

5. Est-ce que tu _________ ce que le directeur a dit hier ?
6. Hier, nous _____________ avec attention ce que notre professeur a expliqué.

Acheter

7. Hier, ma soeur _______________ un beau livre.
8. La semaine dernière, mon frère ______________ une nouvelle bicyclette.

Regarder

9. La semaine dernière, mes parents __________________ une belle émission à la télévision.
10. Hier, nous ____________________ le match de hockey à la télévision.

B. Complétez les phrases avec le verbe indiqué.

1. Hier, mes parents (parler) __________ avec le directeur de mon école.
2. Il y a un quart d'heure, Mme Irène (parler) ______________________ aux enfants de notre classe.
3. Est-ce que tu (regarder) ____________ hier le film « Blanche-Neige » à la télévision ?
4. Hier matin, au petit déjeuner, nous (manger) ____________________ du pain grillé.
5. Hier soir, Gilles Vigneault (chanter) ___________________________ à la télévision.
6. Hier matin, je (glisser) __________________ sur une peau de banane et je me suis foulé un pied.
7. L'année dernière, je (étudier) ______________ la géographie.
8. Hier soir, nous (manger) _______________ de la bonne glace au dessert.
9. Il y a cinq minutes, quelqu'un (sonner) _________________________ à la porte.
10. Avant-hier, nous (jouer) ______________ au hockey.

C. Complétez les phrases avec le verbe indiqué.

1. Hier, Paul (prêter) ________________ un livre à son ami.
2. Avant-hier, je (étudier) ____________ pendant une heure.
3. Hier, nous (planter) __________________ des arbres.
4. La semaine dernière, mes parents (acheter) ______________ une nouvelle auto.
5. Hier, à la récréation, tous les enfants (jouer) ____________ au baseball.
6. Il y a deux jours, le dentiste (arracher) ________________ une dent à ma soeur.
7. Il y a dix minutes, je (allumer) _____________ le feu pour réchauffer la soupe.
8. Hier, mon petit frère (déchirer) ___________ mes stencils.
9. Hier matin, toute la classe (écouter) _____________ avec attention la leçon de Monsieur Bédard.
10. Hier, Aline (aider) _______________ sa mère.

D. Complétez les phrases avec le verbe indiqué. Attention au temps !

1. Avant le repas, je (éplucher) ____________________ les légumes.
2. Maintenant, je (éplucher) ________________________ les légumes.
3. Avant de partir, tu (chercher) ___________________ ta soeur.
4. Maintenant, tu (chercher) ____________ ton frère.
5. Maintenant, nous (arracher) _______________les mauvaises herbes dans notre jardin. Avant, nous (arracher) ___________________ les fleurs fanées.
6. Mon petit frère (déchirer) ______________ souvent mes cahiers. Il y a une semaine, il (déchirer) _______________ mon livre de français.
7. Maintenant, ma mère (accompagner) _______________ mon petit frère à sa leçon de piano et avant, elle (accompagner) ________________________ ma soeur à son cours de ballet.

E. Complétez les phrases avec le verbe indiqué. Attention au temps !

1. Hier, je (emprunter) _____________ un livre sur les Indiens.
2. Il y a quelques minutes, je (rencontrer) ____________ Henri, mais en général, je (rencontrer, négatif) ___________________ souvent mes camarades.
3. Hier, je (prêter) __________________ mon crayon à Hélène et aujourd'hui c'est elle qui me (prêter) ________________ son crayon.
4. En hiver, nous (trembler) ________________ souvent de froid.
5. J' (étudier) _______________ tous les jours, sauf le dimanche.
6. Qu'est-ce que vous (planter) ____________ hier, dans votre jardin ?

7. Hier, nous (planter) ______________ des haricots verts dans notre jardin.

8. Avant-hier, ma mère (oublier) _________________ la viande sur le feu et la viande (brûler) ____________________.

9. L'automne dernier, mon frère et moi, nous (ramasser) ___________ toutes sortes de feuilles pour notre herbier.

F. Complétez les phrases avec le verbe indiqué. Attention au temps !

1. Le professeur (ramasser) ______________ et (corriger) ____________ tous les jours les devoirs.
2. Est-ce que vous (trouver) _____________ votre registre hier ?
3. Hier, nous (chercher) ______________ le registre, mais en vain.
4. Je (oublier) ________________ souvent mon livre de lecture à la maison.
5. Hier, la classe (oublier) _____________ de rendre ses devoirs au professeur.
6. Hier, nous (jouer) ______________ à la balle dans la cour.
7. Est-ce que vous (jouer) __________ à la balle aujourd'hui ?
8. Jacques, (allumer) _______________ le feu dans la cheminée !
9. Mes enfants, (jouer, négatif) ________________ ici.

G. Complétez les phrases avec le verbe indiqué. Attention au temps !

1. Il y a un quart d'heure, on (sonner) ____________ à la porte.
2. Mon frère aîné (passer) ______________ ses examens hier.
3. En hiver, nous (glisser) ______________ souvent.
4. Ma mère (casser) _______________ souvent des assiettes.
5. Michel, (nouer) _______________ tes lacets !
6. La semaine dernière, Pauline Julien (chanter) _________________ à la Place des Arts.

7. Hier, toute la classe (écouter) _______________ l'explication du professeur avec une très grande attention.

8. Aline, (accrocher) _________________ ton manteau ici !

VERBES AU PASSÉ COMPOSÉ À LA FORME NÉGATIVE

À la différence du présent, le passé composé comprend deux (2) verbes.

Exemples: - Aujourd'hui, je mange (présent).

- Hier, j'ai mangé (passé composé).

Pour mettre le verbe du passé composé à la forme négative, on enferme le premier verbe et seulement le premier verbe entre « ne ... pas ».

Affirmatif	Négatif
Hier, j'ai mangé un fruit.	Hier, je n'ai pas mangé de fruit.
Hier, nous avons sauté à la corde.	Hier, nous n'avons pas sauté à la corde.
Hier, tu as oublié ton cahier.	Hier, tu n'as pas oublié ton cahier.
Hier, vous avez chanté.	Hier, vous n'avez pas chanté.
Hier, il a crié.	Hier, il n'a pas crié.
Hier, ils ont trouvé leurs livres.	Hier, ils n'ont pas trouvé leurs livres.

Comparez le présent négatif au passé composé négatif

Présent	Passé composé
Aujourd'hui, je ne mange pas.	Hier, je n'ai pas mangé.
Aujourd'hui, nous ne sautons pas.	Hier, nous n'avons pas sauté.
Aujourd'hui, vous ne chantez pas.	Hier, vous n'avez pas chanté.
Aujourd'hui, il ne crie pas.	Hier, il n'a pas crié.

EXERCICES D'APPLICATION

A. Complétez les phrases avec le verbe indiqué.

Manger

1. Hier, je ____________________ de la crème glacée.
2. Hier, je (négatif) _____________ de crème glacée.

Rencontrer

3. La semaine dernière, nous ____________________ notre professeur dans la rue.
4. La semaine dernière, nous (négatif) __________________ notre professeur dans la rue.

Laver

5. Avant-hier, ma mère __________________ le linge sale.
6. Avant-hier, ma mère (négatif) _________________ le linge sale.

Oublier

7. Je ____________________ de faire mon devoir hier soir.
8. Je (négatif) ______________ de faire mon devoir hier soir.

Chercher

9. Mon frère _______________ notre chien, tout à l'heure.
10. Mon frère (négatif) _____________________ notre chien.

Nager

11. Dimanche dernier, nous ____________________ dans le lac.
12. Dimanche dernier, nous (négatif) _________________ dans le lac.

B. Complétez les phrases avec le verbe indiqué.

1. Hier, cet enfant (arrêter, négatif) ________________ de parler pendant les cours.

2. Non, nous (déménager, négatif) __________________________ l'année dernière.

3. Il paraît que, la nuit dernière, je (ronfler, négatif) ____________ ___________________ du tout.

4. La semaine dernière, nous (étudier) ____________________________ la géographie.

5. L'an dernier, nous (planter) ___________________________ des arbres.

6. Hier, nous (oublier) ______________________ d'arroser le gazon.

7. Hier, les élèves (jouer, négatif) _______________ dans la cour.

8. Hier, le plombier (réparer, négatif) _____________________ les robinets dans la salle de bains.

9. Oui, je sais, tu (écouter, négatif) ___________________________ attentivement ton professeur d'anglais, hier.

10. Non ? Vous (dessiner, négatif) _____________________ hier ?

11. Est-ce que vous (emprunter) __________________________ des livres à la bibliothèque, hier ?

12. Non, hier, ma mère (préparer, négatif) ________________________ le dîner. On l'a pris au restaurant.

C. Complétez les phrases avec le verbe indiqué. Attention au temps !

1. Hier, je (oublier) ______________ de faire mon devoir de français.
2. Michel (étudier) __________________ régulièrement tous les jours.
3. Nous (déménager, négatif) ______________________ souvent.
4. Ces enfants (arrêter, négatif) ___________________ de parler pendant les cours.
5. Mes enfants, (quitter) ________________ le jardin !
6. Maman (préparer) ___________ hier un bon gâteau pour mes invités.
7. C'est chez Irène que je (trouver) ________________ mon livre de français hier.
8. Non, nous (nager, négatif) ________________ dans notre piscine hier, mais dans la piscine municipale.
9. L'an dernier, mes parents (planter, négatif) _____________________ de légumes dans notre jardin.
10. Nous (manger, négatif) ________________________ il n'est pas encore midi.
11. Hier soir, nous (manger) ___________________ au restaurant.
12. Nous (commencer, négatif) __________________ notre journée scolaire avant 9 heures du matin.

A — À

Ne confondez pas « a », verbe avoir, troisième personne du singulier et « à » préposition.

EXERCICE D'APPLICATION

Complétez les phrases suivantes. Faites le choix entre « a » et « à ».

Exemples: J'ai mal à la tête.

Michel a beaucoup à faire.

1. On frappe ______________la porte.
2. Le dimanche, on reste rarement ________la maison.
3. Hélène ______une très belle collection de timbres.
4. Ces pauvres enfants n'ont rien ________manger.
5. Mon père ________quitté son emploi.
6. Cette femme ________beaucoup de soucis.
7. Cet enfant _____beaucoup de jouets.
8. Henriette _________une très belle chambre.
9. Ma mère _______parlé, hier, _______ mon professeur de français.
10. Le principal _____donné, hier, une punition _______toute notre classe.

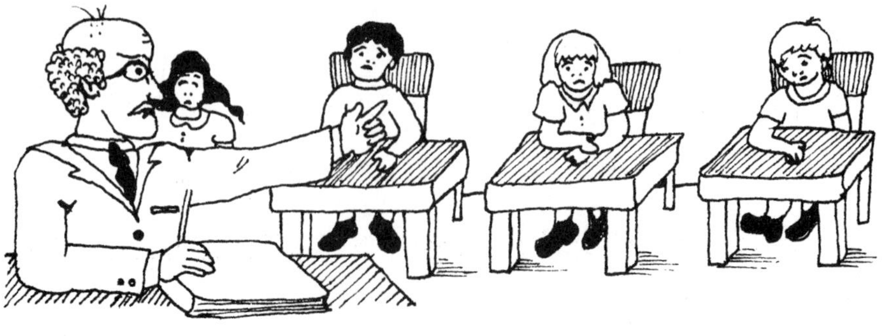

LE FUTUR

Aujourd'hui, je mange du poisson.

Hier, j'ai mangé du poulet.

Demain, je mangerai du foie.

Maintenant, tu manges une pomme.

Hier, tu as mangé une poire.

Demain, tu mangeras du raisin.

Aujourd'hui, il mange des carottes.

Hier, il a mangé du céleri.

Demain, il mangera des pommes de terre.

Aujourd'hui, vous mangez de la salade.

Hier, vous avez mangé de la soupe.

Demain, vous mangerez des légumes.

Remarques

1. Lorsque, dans la phrase, il y a des mots comme demain, après-demain, après, la semaine prochaine, le mois prochain, dans une heure, plus tard, bientôt, on met le verbe au futur.
2. Le futur ne comprend qu'un verbe (comme le présent).
3. Lorsque le mot dans est suivi d'un mot qui exprime la mesure du temps, comme une minute, une heure, deux jours, deux semaines, etc., on met le verbe au futur.

CONJUGAISON

Exemple: « dessiner ».

Forme affirmative	Forme négative
Demain, je dessinerai.	Demain, je ne dessinerai pas.
Demain, tu dessineras.	Demain, tu ne dessineras pas.
Demain, il dessinera.	Demain, il ne dessinera pas.
Demain, elle dessinera.	Demain, elle ne dessinera pas.
Demain, on dessinera.	Demain, on ne dessinera pas.
Demain, nous dessinerons.	Demain, nous ne dessinerons pas.
Demain, vous dessinerez.	Demain, vous ne dessinerez pas.
Demain, ils dessineront.	Demain, ils ne dessineront pas.
Demain, elles dessineront.	Demain, elles ne dessineront pas.

Observations

1) Les verbes, en leur très grande majorité, forment le futur à partir de l'infinitif.

2) Le verbe, au futur, prend:

   a) au singulier, les terminaisons ai, as, a,

   b) au pluriel, les terminaisons ons, ez, ont.

   - Les terminaisons du futur, de la 1re, 2e et 3e personne du singulier et de la 3e personne du pluriel prennent respectivement les formes des personnes correspondantes du verbe « avoir » au présent.
   - La 1re et la 2e personne du pluriel prennent respectivement les formes des désinences des personnes correspondantes du verbe « avoir » au présent.

3) Dans toutes les terminaisons du futur, on trouve la consonne « r ». Si on n'entend pas le son « r », le verbe n'est pas au futur.

4) Pour donner la forme négative à un verbe au futur simple, on place « ne » avant le verbe et « pas » après le verbe (comme au présent).

LES VERBES EN « ER » AU FUTUR

Le verbe « parler »

Demain, je parlerai au directeur de l'école.

Demain, tu parleras au directeur de l'école.

Demain, Paul parlera au directeur de l'école.

Demain, il parlera au directeur de l'école.

Demain, Irène parlera au directeur de l'école.

Demain, elle parlera au directeur de l'école.

Demain, on parlera au directeur de l'école.

Demain, nous parlerons au directeur de l'école.

Demain, vous parlerez au directeur de l'école.

Demain, Jacques et Henri parleront au directeur de l'école.

Demain, ils parleront au directeur de l'école.

Demain, Mireille et Anne parleront au directeur de l'école.

Demain, elles parleront au directeur de l'école.

Remarque

Pour former le futur des verbes de la famille « er », nous ajoutons (sauf exceptions) à leur infinitif les désinences du futur.

Formation

je parler + ai
tu parler + as, etc.

EXERCICES D'APPLICATION

A. Complétez les phrases avec le verbe indiqué.

Manger

1. Demain matin, au petit déjeuner, je ______________ des céréales.

2. Demain soir, au dessert, nous ___________ une bonne salade de fruits.

Arriver

3. Mes cousins ___________ demain soir à l'aéroport de Mirabel.

4. Mon oncle ______________ la semaine prochaine à l'aéroport de Dorval.

Réparer

5. Est-ce que tu __________ cette bicyclette la semaine prochaine ?

6. Vous ________________ cette montre plus tard.

Chanter

7. Nana Mouskouri ______________ la semaine prochaine à la Place des Arts.

8. Dans trois jours, Gilles Vigneault et Robert Charlebois ___________ à la télévision.

Donner

9. Tu _________________, après-demain, ce livre à Paul.

10. Nous ____________________, demain, ces fleurs à maman.

B. Complétez les phrases avec le verbe indiqué.

1. Demain matin, au petit déjeuner, tu (manger) ________________ du pain.
2. Demain, au bal, je (porter) ________________ une robe longue.
3. Maintenant, va travailler; plus tard, tu (montrer) ______________ ton dessin à ton père.
4. La semaine prochaine, Vigneault (chanter) ________________ à la télévision.
5. Demain soir, au dessert, nous (manger) __________________ de la bonne glace.
6. Dans quelques jours, le professeur nous (expliquer) ____________ une nouvelle leçon de mathématiques.
7. Cette montre ne coûte pas cher; je me demande si dans six (6) mois elle (marcher) ______________ encore.
8. Mes parents (arriver) ________________ à l'aéroport de Dorval demain à huit (8) heures du soir.
9. Dans deux ans, nous (visiter) __________________ l'exposition du livre.
10. Il est encore tôt, tu (réveiller) _____________ Michel un peu plus tard.

C. Complétez les phrases avec les verbes indiqués.

1. Je (commencer) __________________ à travailler demain.
2. Mes parents (arriver) ______________ bientôt.
3. Je vous assure que demain je (coller) ________________________ ces dessins.
4. Nous (visiter, négatif) ____________________ la France l'an prochain.
5. Est-ce demain que vous (apporter) _____________________________ vos valises ?
6. Dans une heure, je (ranger) ____________________ ces livres.
7. Après-demain, nous (étudier) __________________ ensemble.
8. Demain, je (prêter) _____________________ mon livre de français à Michel.
9. Maman, je te le promets, dans un quart d'heure, je (éplucher) _____________________ les légumes.
10. J'espère que la nuit prochaine, tu (ronfler, négatif) _________________________.

D. Complétez les phrases avec les verbes indiqués. Faites attention au temps !

1. Est-ce que tu (jouer) _________________ maintenant ?
2. Est-ce que tu (jouer) ____________________ plus tard ?
3. Aujourd'hui, nous (travailler, négatif) ______________ beaucoup.
4. Demain, nous (travailler, négatif) __________________ beaucoup.
5. Est-ce que vous (arracher) _________________ ces pages ?

6. Est-ce que vous (arracher) ____________________ ces pages plus tard ?

7. Aujourd'hui, les élèves (visiter, négatif) ________________ l'exposition.

8. Demain, les élèves (visiter, négatif) __________________ l'exposition.

9. Aujourd'hui, le cordonnier (réparer, négatif) ________________ les chaussures.

10. Demain, le cordonnier (réparer, négatif) ____________________ les chaussures.

E. Complétez les phrases avec les verbes indiqués, Attention au temps !

1. Je (manger) ____________ maintenant et je (manger) _______________ aussi plus tard.

2. Aujourd'hui, nous (étudier) ____________________ la géographie, demain nous (étudier) _______________ l'histoire.

3. Maintenant, je (préparer) _______________ mon examen de français et bientôt, je (préparer) ___________________________________ mon examen d'anglais.

4. Je connais trop bien cet enfant. Maintenant, il (chercher) ___________ son livre de français et bientôt, il (chercher) ____________ son cahier de dessin.

5. Est-ce que vous (changer) ______________ de place maintenant ou vous (changer) ____________ de place plus tard ?

6. Si vous (trouver, négatif) ____________________ votre argent ici, vous le (trouver) ___________ peut-être plus tard chez vous.

7. Si tu (commencer, négatif) _____________________ à faire ton projet maintenant, quand (commencer) ____________ -tu à le faire ?

8. Maintenant, je (colorier) _______________ le dessin de la couverture du livre; après je (colorier) _____________ le reste.

F. Complétez les phrases avec les verbes indiqués. Attention au temps !

1. Il y a un quart d'heure, je (regarder) _______________ un film français au canal deux (2).Dans une demi-heure, je (regarder) _______________ un film anglais au canal six (6).
2. Hier, nous (apporter) _______________ nos cartes du Canada. Demain, nous (apporter) _______________ les autres.
3. Vous (coller, négatif) _______________ les timbres, hier ? Ça ne fait rien, vous les (coller) _______________ plus tard.
4. Henri, (montrer, négatif) _______________ ton album de photos maintenant, tu le (montrer) _______________ plus tard.
5. Mon grand-père (raconter, négatif) _______________ hier ses histoires. Il les (raconter) _______________ peut-être demain.
6. Tous les enfants (bâiller) ___________hier pendant le cours de français.
7. J'espère que demain tu (arrêter) _______________ de faire ce travail.
8. Il y a un moment, je (réveiller) _______________Georges; dans quelques secondes, je (réveiller) _______________ Francine.
9. Avant le dîner, je (jouer) _______________ avec Cathy; plus tard, je (jouer) _______________ avec Régine.
10. Jean (couper) _______________ les tomates il y a quelques minutes. Il (couper) _______________ les oignons plus tard.

G. Complétez les phrases avec les verbes indiqués. Attention au temps !

1. L'année dernière, je (changer) ________________ d'école.

2. Attends, tu (coller) ________________ ce timbre plus tard.

3. Hier, dans leur test de français, mes élèves (mélanger) _________ le futur avec le présent; j'en suis vraiment désolé !

4. Laissez ! Vous (couper) ______________ cette étoffe plus tard.

5. Tu (ranger, négatif) ____________________ les nouveaux livres hier; j'espère que tu les (ranger) ________________ au plus tard demain.

6. Hier, nous (arracher) __________________ les mauvaises herbes dans notre jardin.

7. Est-ce vrai que l'année dernière vous (arrêter) ________________ de travailler ?

8. Je (commencer) _____________ bientôt à enseigner le dessin.

9. Est-ce que vous (enseigner) ______________ le français ou l'anglais l'année prochaine ?

10. C'est faux, l'année dernière Mme Rouleau (enseigner, négatif) ___________________ dans notre école.

H. Complétez les phrases avec les verbes indiqués. Attention au temps !

1. Marie, (éplucher, négatif) ______________ les légumes maintenant; tu les (éplucher) ______________ plus tard.
2. Nous (ranger) ___________ tous nos livres hier.
3. C'est seulement demain que nous (arroser) ______________________ le gazon.
4. Hier, Michel (grimper) __________________ sur un arbre et il (déchirer) ________________ son pantalon.
5. Demain, le dentiste (arracher) _____________________ deux dents à ma mère.
6. Hier, mes parents (parler) __________________ avec tous les professeurs; demain, ils (parler) _____________________ avec le directeur.
7. Hier, nous (aider, négatif) ____________ notre mère; nous l' (aider) ______________________ demain.
8. L'an prochain, je (habiter) _________________ cette maison.
9. Tu (oublier, négatif) ______________ de finir ton devoir de français demain !
10. Nous (arriver) _________________ à Paris après-demain.
11. Je (prêter) _______________ volontiers tout ce que j'ai.

I. Complétez les phrases avec les verbes indiqués. Attention au temps !

1. Oh, que tu (marcher) ________________ lentement !
2. Oui, je sais que je (ronfler) ________________ fort, la nuit.
3. Le professeur de français (oublier) ________________________ hier de nous donner des devoirs.
4. L'an prochain, nous (traverser) ____________________ de belles régions au cours de notre voyage.
5. Francine, arrête d'étudier ! Tu (étudier) ______________ plus tard.
6. Nous (emprunter, négatif) _______________________ nos livres de lecture à la bibliothèque municipale.
7. Nous (saluer) ___________________ toujours nos professeurs.
8. Michel (oublier) _______________ hier d'apporter son livre de français.
9. Tu (parler) ___________beaucoup, mais tu (écouter) __________ peu.
10. Je (oublier, négatif) __________________ mes amis.
11. Est-ce que vous (arriver) __________________ de loin ?
12. Demain, tu (demander) _________________________ au professeur de t'expliquer ce que tu ne comprends pas.

J. Complétez les phrases avec le verbe souligné.

N'oubliez pas d'accorder le verbe avec les autres éléments de la phrase.

1. Aujourd'hui, je porte une robe courte. Demain, au bal, je ________ une robe longue.

2. Il y a un quart d'heure, nous avons mangé de la soupe. Dans une demi-heure, nous ___________ de la crème glacée.

3. Ces enfants ont beaucoup à faire. Ils étudient maintenant et ils ___________ aussi demain.

4. Il ne trouve pas son livre de français en ce moment, mais je suis sûr qu'il le ___________ bientôt.

5. Il y a un an, nous avons visité la France. Dans un an, nous ______________ l'Italie.

6. Hier, vous avez cherché Mme Dupont et aujourd'hui vous ____________ Mme Bosco.

7. À la fin de l'année scolaire, mes parents parlent avec tous les professeurs. Avant-hier, ils ________________ avec M. Laurent; hier ils ______________ avec M. Dupuis. Aujourd'hui, ils ______________ avec Mme Rose et demain, ils ____________ avec Mme Côté.

8. Je ne rencontre jamais M. Benoît; j'espère que je le ______________ bientôt.

9. Je n'arrête pas de travailler. Hier, je _______________________, aujourd'hui, je ________________ et je _______________________ encore demain.

EXERCICE DE COMPLÉTION

Complétez les phrases. Choisissez parmi les mots encadrés. N'oubliez pas d'accorder le mot choisi avec les autres éléments de la phrase.

Prochain, manger, ramasser, corriger, dernier, réchauffer, avant-hier, raconter, rencontrer, goûter, bain, demain.

1. Mon professeur ________________ tous les jours les devoirs des élèves.
2. Dimanche ____________________, nous mangerons au restaurant.
3. ______________________, j'ai rencontré mon professeur de français à la porte de l'école.
4. Dans notre classe, on ___________________ tous les jours les devoirs.
5. Au retour de l'école, nous prenons notre ________________________.
6. Au retour des vacances, je __________________ tous mes amis dans la cour de l'école.
7. Tous les soirs, je prends un ___________ chaud dans la baignoire.
8. Je _____________ la soupe quand elle est froide.
9. Mes parents ____________________ souvent de belles histoires.
10. Avant-hier, nous ___________________ beaucoup de chocolat.
11. _______________________, je te raconterai tout.
12. Dimanche ____________________, nous avons tout révisé pour l'examen de français.

LE VERBE ÊTRE
PRÉSENT

Le verbe « être » n'appartient à aucune famille. Disons que c'est un célibataire et de plus, un peu fou. Il se conduit comme il veut. Le voilà ! Voyez vous-mêmes. En voici le modèle.

Présent

Maintenant, je suis en classe.

Maintenant, tu es en classe.

Maintenant, Alain est en classe.

Maintenant, il est en classe.

Maintenant, Irène est en classe.

Maintenant, elle est en classe.

Maintenant, nous sommes en classe.

Maintenant, vous êtes en classe.

Maintenant, Alain et André sont en classe.

Maintenant, ils sont en classe.

Maintenant, Anne et Irène sont en classe.

Maintenant, elles sont en classe.

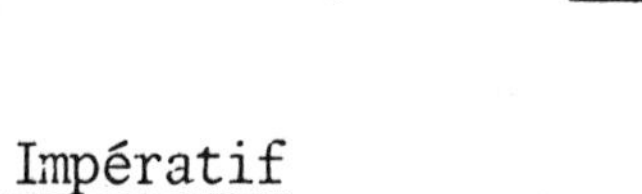

Impératif

Alain, sois prudent !

Alain et Anne, soyez prudents !

Mon enfant, sois prudent !

Mes enfants, soyez prudents !

Soyons tous prudents !

EXERCICES D'APPLICATION

A. Complétez les phrases à l'aide du verbe « être ».

1. Est-ce que tu ________________ satisfait maintenant ?
2. Nous ________________ heureux d'avoir Mme Régine comme enseignante.
3. Vous ________________ toujours en retard.
4. Vous avez l'air fatigués,est-ce que vous ______________ malades?
5. Aujourd'hui, vous ________________ à l'heure !
6. Nous ________________ contents de vous voir.
7. Les enfants ____________ trop bruyants aujourd'hui. Qu'est-ce qui se passe ?
8. Ils ________________ très satisfaits de vos services.
9. Nous ________________ fatigués à la fin de la journée.
10. Le matin, je ______________ bien reposé.

B. Complétez les phrases à l'aide du verbe « être ».

1. Je __________ chez moi.
2. Alain __________ blond, mais Jean ______________ brun.
3. Cathy et Guy ________________ à la maison.
4. ________________-vous prêtes?
5. Non, ma tante (négatif) ______________ chez elle.
6. Les yeux de ma mère ______________ bleus.
7. Est-ce que Monsieur R. ________________ en vacances ?
8. Nous ________________ très en retard.
9. Vous _____________ très aimables.
10. Cette place _____________ occupée.
11. ___________-tu content de ton travail ?

C. Complétez les phrases à l'aide du verbe « être ».

1. Mon père ____________ toujours très occupé.
2. Mes parents (négatif) ______________ à la maison.
3. Ils ________________ chez des amis.
4. Nous ______________ prêts.
5. Alain _____________ paresseux.
6. Suzanne et Raymond _____________ studieux.
7. Nous _____________ très heureux aujourd'hui.
8. Est-ce que vous _________________ contents de vos résultats scolaires ?
9. Ma soeur ______________ très intelligente.
10. Jacques _________________ patient.
11. Alain et Irène, _____________ plus calmes !

D. Complétez les phrases à l'aide du verbe « être ».

1. Mes mains ____________ chaudes.
2. Mes enfants, _____________ plus patients !
3. Jacques ________________ souvent en retard.
4. Non, je (négatif) ______________ fatigué.
5. Alain, ______________ gentil, donne-moi ton crayon !
6. Mes parents ______________ à Ottawa.
7. Est-ce que tu _____________ prête ?
8. Mes enfants, _______________ plus attentifs !
9. Vous (négatif) _____________ occupés, n'est-ce pas ?
10. Mon père ________________ encore à son bureau.

E. Complétez les phrases avec le verbe indiqué.

1. Ma mère (être) _____________ malade.
2. Elle (avoir) ______________ mal à la tête.
3. Quand je (avoir) _____________ sommeil, je me couche et je dors.
4. Quand je (être) __________ fatigué, je me repose.
5. Robert, (avoir) ______________ de la patience !
6. Robert, (être) ___________ patient !
7. (Avoir) __________-tu soif ?
8. Je (avoir) ___________ faim.
9. Il (être) ____________ encore trop tôt pour quitter la maison !
10. Mes parents (avoir) _____________ beaucoup de travail.

Remarque: On peut dire: « aie de la patience!» ou « sois patient!».

F. Complétez les phrases avec le verbe indiqué.

1. Il (être) _______ tard, je dois rentrer à la maison.
2. (Être) _______-tu canadienne ?
3. Mets ton manteau, si tu (avoir) __________ froid !
4. Mon petit frère (avoir) __________ envie de manger du chocolat.
5. Quand nous (avoir) __________ faim, nous mangeons et quand nous (avoir) _____________ soif, nous buvons.
6. Ces enfants (avoir) ___________ tort de ne pas faire régulièrement leurs devoirs.
7. Vous devez vous reposer quand vous (être) ______________________ fatigué.

8. Quand je (être) __________enrhumée, je (avoir) ____________ mal

à la gorge.

9. Nous (être) ____________ des élèves de quatrième.

10. (Avoir) ___________-vous besoin de ce livre de français ?

G. Complétez les phrases avec le verbe indiqué .

1. Je (avoir) ___________ quelque chose à te dire.

2. Notre professeur de français (manquer) __________ de patience.

3. Est-ce que tu (être) ___________ prêt à partir?

4. Mes enfants, (être) ___________ prudents lorsque vous traversez la rue !

5. Mes enfants, (avoir) ________ du respect pour vos professeurs!

6. Jacques, (être) _______________ moins nerveux.

7. Ma fille, (calmer) ____________ ces enfants, s'il te plaît !

8. Est-ce que tu (penser) ______________ que je n'ai pas raison ?

9. Nous (trouver, négatif) ________________ pas les livres, c'est malheureux.

10. C'est décidé ! Aujourd'hui, je (éplucher, négatif) ______________ les légumes !

11. Cette chambre, combien est-ce qu'elle (mesurer) _______________?

H. Complétez les phrases avec le verbe indiqué.

1. Est-ce que tu (manger) __________________ ?

2. Nous (avoir, négatif) ______________ faim.

3. Marie, (donner) ___________ à boire à Michel; il a très soif !

4. Ces élèves (avancer, négatif) ______________ du tout en français.

5. Henriette, (ranger) _______________ tes affaires !

6. Michel, (avoir, négatif) ___________ peur !

7. Nous (avoir) ______________ très froid en hiver.

8. Je (trembler) _______________ de froid.

9. Ah non, ils (être, négatif) ______________ malades !

10. Est-ce que tu (être) ____________ chez toi ?

ET — EST

Ne confondez pas « et » conjonction avec « est » verbe être, 3e personne du singulier.

EXERCICE D'APPLICATION

Complétez les phrases suivantes. Faites le choix entre « et » et « est ».

Exemples: Paul est mon ami.

Irène et Paul sont à l'école.

1. Mes parents parlent bien l'anglais ___________ le français.
2. Henriette, épluche les pommes de terre _________ les carottes!
3. Le professeur __________ déjà dans la classe.
4. Ma mère __________ fatiguée.
5. Je dois faire mes devoirs de mathématiques _________ de sciences.
6. Mon père __________ docteur.
7. Il _________ en classe de septième.
8. Nous mangeons beaucoup _____________ parlons beaucoup.
9. Aujourd'hui il neige ____________ il vente.
10. Ce garçon ________ très intelligent.

LE VERBE «ALLER»

Un autre célibataire.

Présent

Maintenant, je vais au parc.

Maintenant, nous allons au parc.

Maintenant, tu vas au parc.

Maintenant, vous allez au parc.

Maintenant, Paul va au parc.

Maintenant, il va au parc.

Maintenant, Aline va au parc.

Maintenant, elle va au parc.

Maintenant, on va au parc.

Maintenant, Paul et Alain vont au parc.

Maintenant, ils vont au parc.

Maintenant, Aline et Anne vont au parc.

Maintenant, elles vont au parc.

Impératif

Alain, va au parc !

Aline, va au parc !

Alain et Aline, allez au parc !

Mon enfant, va au parc !

Mes enfants, allez au parc !

Allons tous au parc !

EXERCICES D'APPLICATION

A. Complétez les phrases à l'aide du verbe « aller ».

1. Je ____________ tous les jours à l'école.
2. Comment ____________-tu ?
3. Vous ____________ souvent au cinéma.
4. Ils (négatif) ________________ nager aujourd'hui.
5. Anne, ______________ vite chez ta mère !
6. Aline et Irène __________________ à l'école à pied.
7. Jacques, ________ te laver les mains tout de suite !
8. Ma famille _____________ bientôt partir en voyage.
9. Qu'est-ce que tu ______________ faire maintenant ?
10. Nous ________________passer les vacances au bord de la mer.

B. Complétez les phrases à l'aide du verbe « aller ».

1. Aujourd'hui, nous _____________ au centre d'achat.
2. Est-ce que vous ______________ parler à votre professeur?
3. Mes parents _______________ au théâtre ce soir.
4. Comment _______________-vous ?
5. Ça ________________ bien chez lui.
6. Ces enfants (aller, négatif) _____________ souvent à la Place des Arts.
7. Qu'est-ce qu'ils ______________ faire maintenant ?
8. Je _____________ bientôt finir mon devoir.

9. Jean, ______________ vite chez ta grand-mère !

10. Ma mère ______________souvent à Toronto.

C. Complétez les phrases à l'aide du verbe « aller ».

1. Tous les matins, nous ____________ à l'école.
2. Je ______________ tous les jours faire mes courses.
3. Comment _________________ tes parents ?
4. Je __________________ me laver les mains.
5. Où _____________-tu ?
6. Ma famille __________________ tous les ans en vacances.
7. Je ___________ me peigner maintenant.
8. Nous _____________ au cinéma une fois par semaine.
9. Comment __________-vous ?
10. Quand il fait chaud, les élèves ____________ au parc.
11. On _____________jouer au tennis.
12. Anne et Jean, ___________ vite chez l'épicier et achetez de l'huile !
13. Je ________ bien maintenant, je ne suis plus malade.
14. Jacqueline, ______________préparer la salade, s'il te plaît.

D. Complétez les phrases avec le verbe indiqué.

1. Comment (aller) __________-vous ?
2. Attention, le professeur (être) _______________ en colère aujourd'hui.
3. Est-ce que vous (être) ____________ chez vous maintenant ?
4. Michel, (aller) __________ voir si Mme Roux est là !
5. Nos élèves (aller) _____________ souvent au parc.
6. Les élèves (avoir, négatif) ________________ assez de récréations.
7. Quand est-ce que vous (être) _______________ à l'école ? L'avant-midi ou l'après-midi ?
8. Michel (avoir) _____________ souvent mal à la tête.
9. Cette année, nous (étudier) __________________ l'histoire du Canada.
10. Est-ce que tu (arroser) ____________________ tes plantes aujourd'hui ?
11. Jeanne, (être) ________________ plus prudente !
12. Alain, (avoir) ______________ la gentillesse d'ouvrir la porte !

E. Complétez les phrases avec le verbe indiqué.

1. Michel (aller) ____________au théâtre aujourd'hui.
2. Où (aller) ______________-tu maintenant ?
3. Je (aider, négatif) _________________ souvent ma mère.
4. Nos professeurs (expliquer) ____________ toujours très bien leurs leçons aux élèves.
5. Est-ce que vous (avoir) ____________ besoin de ces livres ?
6. Mon grand-père (être) _______________ malade.
7. Sais-tu où les professeurs (avoir) ____________ leurs casiers ?
8. Les élèves de 6e (être) ___________ maintenant dans la cour.
9. On (respirer, négatif) __________ bien pendant les chaleurs.
10. Nous apprenons lentement, mais nous (oublier, négatif) ____________________ vite.
11. Jacques, (être) ______________ plus poli!
12. Grand-père, (raconter) _________________-nous une histoire, s'il te plaît !

F. Complétez les phrases avec le verbe indiqué. Attention au temps !

1. Mais si, je (être) _______ chez moi ce matin !
2. Nous (rencontrer) _______ hier notre ancien professeur de français.
3. Mes parents (avoir) _____ beaucoup d'ennuis à cause de mon frère aîné.
4. Hélène, (quitter) ________la chambre et va te promener !
5. Est-ce que tes plantes (pousser) ____________bien ?
6. Je (avoir, négatif) _____________de temps maintenant, je (regarder) _____________ton travail plus tard.

7. Michel, (être) ____________ plus aimable avec tes camarades !

8. Ça y est ! Nous (arroser) ____________ tout le gazon.

9. Je (aller) ____________ voir si quelqu'un est à la porte.

10. Je lui (prêter) ____________ ce livre la semaine prochaine.

11. Ça y est ! Je (ranger) ____________ toutes mes affaires.

12. Ma mère (tremper) ____________ ce matin le linge, mais elle ne le (laver) ____________ que le soir.

Retenez l'expression « ça y est ! »

On l'emploie pour dire que « c'est terminé ».

EXERCICE DE COMPLÉTION

Complétez les phrases suivantes. Choisissez parmi les mots encadrés. N'oubliez pas d'accorder le mot choisi avec les autres éléments de la phrase.

Aller, occupé, pendant, avoir, peau, régulièrement, glisser, méchant, quitter, aller, mensonges, être.

1. Ce n'est pas beau de dire des ____________.
2. Est-ce que les enfants ____________ au parc aujourd'hui ?
3. Quand Michel ____________ honte, il rougit.
4. Ah, bonjour ! Comment ça ____________ ?
5. Nous étudions ______________ cinq heures tous les jours.
6. Quand j'ai beaucoup à faire, je suis très _______________.
7. Pour avancer dans les études, il faut travailler _____________.
8. En été, ma _____________ est bien bronzée.
9. Nous _______________ l'école à quatre (4) heures moins le quart.
10. Quand on ____________, on risque de tomber.
11. Attention ! C'est un chien ______________.
12. Le nez coule lorsqu'on _________ enrhumé.